挑戰?

東野圭吾

譯・王蘊潔

challenge?

目錄

ちゃれんじ?

大叔單板手誕生的祕密

我決定開始學單板滑雪，但其實已經開始了。回想起來，一路走來，是一條漫長的路。

單板滑雪是一九六〇年代源自美國密西根州的一項運動，是一項小眾的運動，我在高中、大學時代經常去滑雪，從頭到尾只見過一次而已，而且和目前的單板滑雪完全不一樣，滑雪板的大小和滑板差不多大，腳也沒有固定在滑雪板上。當時看到的是一個年輕人在那裡玩，搞不好是自己做的滑雪板。

我第一次看到有人正式玩單板滑雪是在大銀幕上，那就是《007：雷霆殺機》。這部電影一開始，就是大家熟悉的詹姆士．龐德駕著雪上摩托車逃避敵人的追殺，中途雪上摩托車被打壞了，龐德竟然站在被打落的雪橇上，在雪地上好像衝浪般逃之夭夭。背景音樂是美國搖滾樂團海灘男孩的翻唱曲。當時的替身演員一定是職業單板滑雪手。我極為震撼，而且佩服不已，原來這個世界上有人挑戰這麼猛的事。

但是，在之後很長一段時間，我並沒有再去想單板滑雪的事。大學畢業出社會後，也不像以前那樣經常去滑雪，即使聽到滑雪的朋友抱怨說，「最近有時候會遇到單板滑雪的人，常常擋道，真的很討厭」時，也覺得事不關己。

之後單板滑雪越來越受歡迎，當我得知單板滑雪的人數和雙板滑雪的人數比例已經逆轉時，就無法再忽略這件事。我的腦海中浮現了詹姆士·龐德在雪地瀟灑滑雪的身影，期待自己有朝一日也來試一試。

凡事都有所謂的限度，即使單板滑雪號稱幾歲開始學都沒問題，我還是很有自知之明，覺得對年近四十的大叔來說，這項運動的難度實在太高了。於是，「期待自己有朝一日也來試一試」變成了「曾經期待自己有朝一日也來試一試」。

但是，命運難料（我知道這麼寫很誇張），有一天晚上在銀座喝酒時，坐在鄰桌的客人向我打招呼。這位看起來比我年紀稍長的男人是《單板滑雪手》這本雜誌的主編，因為我的下一本小說將由他們出版社出版，所以他向我打招呼。順便置入性行銷一下，那本小說就是目前已經上市的《湖邊凶殺案》。

他為我願意將新作品交給他們出版社出版道謝，這種事根本不重要。但我突然靈光一閃，覺得這應該是自己人生中最後一次機會了。我對M主編說，我很想挑戰單板滑雪。M主編已經有了幾分醉意，聽到我這麼說，二話不說地輕鬆回答，下次邀我一起去滑雪。

因為三兩下就談妥了這件事，我反而感到不安。因為我覺得好像只是喝酒時隨便說說而已，於是半威脅地再三叮嚀：

「我是認真的，沒問題吧？我並不是喝醉了信口開河。你一定要約我，如果這件事不了了之，後果由你負責。」

原本醉眼惺忪的M主編看到我一副拚了老命的樣子，也漸漸露出了嚴肅的表情說：

「我知道，我也是真心邀你。為了證明我的誠意，我會送滑雪板給你，這樣夠有誠意了吧？」

「啊？真的嗎？」

我忍不住眉開眼笑。我最喜歡聽別人說「我送你○○」這句話。

那天晚上，在喝完酒之後就各自回家了，但我還是感到很不安。雖然M主編當時這麼說，我仍然擔心他以為我在開玩笑。沒想到過了幾天之後，我真的收到了滑雪板。我著實大吃一驚，而且還接到了《湖邊凶殺案》的責任編輯T女士的電話。

『我聽M說，老師打算學單板滑雪。那我們等《湖邊凶殺案》完成時，安排一趟滑雪旅行慶祝一下。』

無巧不成書，T女士以前曾經是M主編的下屬，曾經一起去參加過滑雪合宿，所以據說是單板滑雪高手。

因為這個意想不到的機緣，眼前出現了一根胡蘿蔔。從那天開始，我全力以赴開始寫《湖邊凶殺案》。雖然其他出版社的編輯都很納悶，我已經忙得分身乏術，為什麼還有時間寫新書，其實其中有這樣的玄機。

當我順利寫完之後，T女士和我分享她的閱讀感想時，我也左耳進，右耳出，然後急著問她：「上次那件事怎麼樣了？」

「M也很期待，以目前的日程，可能會安排在三月的時候。」

我忍不住發出低吟。這樣拖拖拉拉下去，今年不就只能滑一次而已？我問T女士，《湖邊凶殺案》什麼時候完成三校？T女士回答說：「二月二十七日。」

「那要不要二月二十八日就去？」

「啊，隔天就去嗎？」

T女士也被我嚇到了。

「這樣拖拖拉拉，雪都融化了。好事不宜遲。」

不知道T女士是否感受到我的衝勁，她用力點了點頭說：「好，那我就朝這個方向安排。」

當計畫具體化之後，我的心情就像準備參加遠足的小學生一樣。遇到朋友時，逢人就吹噓我打算挑戰單板滑雪。原本以為大家會很羨慕，沒想到完全不是這麼一回事，朋友還威脅我說：

「都一把年紀了還這麼勇，我認識一個女生玩單板滑雪，結果把腰椎都摔斷了。」

「聽說在滑雪場被送上救護車的人中，單板滑雪手遠遠超過雙板滑雪的人。」

「摔跤的次數遠遠超過雙板滑雪。」

「還有人跌倒時，腦袋不小心撞到滑雪板邊緣。」

就連家人也覺得我又腦筋不清楚，心血來潮地想學新玩意。

「你都老大不小了，即使學會了，也玩不了幾年。」（姊姊）

「不必這麼折磨自己，要不要試試悠閒地釣魚？」（姊夫）

「啊？你說要學什麼？單什麼？單槓？」（母親）

編輯臉上的表情也難掩內心的反對。

「請你無論如何不要受傷，至少要好好保護手和手指。即使要受傷，也請等完成我們家的稿子再說。」（某出版社編輯）

即使如此，大家最後還是對我說：「既然你執意要學，那就加油囉。」雖然我懷疑大家只是嘴上說說而已。

終於等到了初體驗的日子。我們要去GALA湯澤滑雪場，T女士和她的上司S主編一起參加了這次滑雪旅行。《湖邊凶殺案》在前一天順利完成三校，他們兩個人都一臉神清氣爽。

我四十四歲，S主編比我小一歲，我不便透露T女士的年紀，但我們三個人的年紀加起來超過一百二十歲。我們在新幹線上聊天時說，我們絕對是今天滑雪場內平均年齡最高的三人組。

那絕對是我這輩子摔最多次的一天。

相信很多人都知道，一走出新幹線的GALA湯澤車站，眼前就是滑雪場。只要去領取事先寄到滑雪場的行李，去更衣室換好衣服，就可以馬上搭纜車。但我只有M主編送我的滑雪板，所以去御茶之水的知名運動用品商店買齊了其他用品。那天店裡所有的客人中，一眼就可以看出我年紀最大。

一抵達滑雪場後，馬上就開始上課。教練鈴木先生是一位二十八歲的帥哥，我在做暖身運動時，忍不住心想，他應該超有異性緣。暖身運動主要是伸展操。

鈴木先生首先教了穿滑雪板的方法、安全跌倒的方法和滑雪場的規定。這些內容和雙板滑雪一樣。接著在單腳穿上滑雪板的狀態下移動，稱為單腳滑行。然後又學了上坡的方法，光是單腳滑行和上坡就已經讓我精疲力竭，當天的體力有超過六成都耗在這兩件事上。

練習了一陣子基本技巧後，鈴木先生提議去搭纜車。雖然我覺得還沒有好好練習就直接上去滑似乎太危險了，但我討厭練習上坡，所以就贊成說：「好啊，好啊，去搭纜車。」

因為是雙人吊椅纜車，所以我和鈴木先生搭同一輛纜車。他途中問了我的年紀，我據實以告，鈴木先生愣了一下，一時說不出話，隨即安慰我說：「你還很年輕啦，一定沒問題。」搞不好他內心很後悔，竟然教到這麼老的學生。

下了纜車之後就正式開始滑雪。至於具體內容，即使我寫了，大家應該也沒興趣看，反正就是一直練習滑行、轉彎、停止，我和S主編從頭到尾都一直跌倒。沒滑幾下就跌倒，想要轉彎又跌倒，想停下來時還是跌倒，想要練習跌倒時，又跌了個狗吃屎，但這就是好玩的地方。兩個分別四十四歲和四十三歲的大叔跌得滿身是雪的樣子怎麼可能不好玩？T女士一直輕鬆地滑雪，不時停下來看看我們。我和S主編決定要把T女士視為眼前的目標。

上完兩個小時的課，總算勉強會轉彎了，連我自己也感到很意外。

「喔喔喔，會滑了，會滑了。喔喔，轉彎了，轉彎了。喔喔，又轉彎了，又轉彎了，很不錯嘛，很不錯嘛，搞定單板滑雪了，搞定單板滑雪了，大叔也可以玩單板滑雪。」

這些話我當然不可能說出口，但內心一直在這樣吶喊。晚一步追上來的M主編也拿起攝影機說：「你第一次滑就可以滑這麼長的距離，算是很不錯。」（註：我不至於遲鈍到沒有發現這句話中包括了奉承的成分）

最後，我們一直滑到傍晚才罷休，滿身大汗，全身無力。泡溫泉時用力伸展身體，舒服得差點昏過去。

晚餐後，受M主編的邀約出去喝酒。我們邊喝著兌水的威士忌，邊觀賞白天用攝影機拍的影像。我發現自己一直在跌倒，但偶爾也小滑了一段，而且還順利轉了彎。

我腦海中再度浮現詹姆士·龐德瀟灑滑雪的身影。我什麼時候可以滑得像他那麼好？會有這一天嗎？
無論如何，我已經踏出了第一步。

（二〇〇二年三月）

ちゃれんじ？

大叔單板滑雪手奮鬥中

我就這樣愛上了單板滑雪。因為編輯要我再寫隨筆，所以我做好了被大家罵很煩的心理準備，動筆寫第二篇。《單板滑雪手》的M主編看了我上一篇的題目後，向我提出了建議：

「單板手這種說法不太好，不要用簡稱，還是希望你用單板滑雪手這個名稱。」

原來還有這麼多學問，我這個新手當然只能聽從老手的意見，所以這篇文章中就以「大叔單板滑雪手」自稱。

上次去GALA湯澤滑雪場第一次體驗了單板滑雪，在渾身關節痠痛消失後，又開始摩拳擦掌，躍躍欲試，而且時序已經進入三月，如果再不把握機會，滑雪季節就結束了。

我在情急之下，決定要去水上高原滑雪場。為什麼決定去那裡？其實並沒有太大的理由，就是因為在去GALA湯澤滑雪場之前，曾經提到要去水上高原。我已經很多年沒去滑雪場，所以完全不知道哪裡有哪些滑雪場。

我訂好滑雪場的飯店，但離去滑雪還有一段時間，話雖如此其實也只是幾天而已。

我打電話給上一篇中也曾經出現的T女士。

「聽說SSAWS滑雪場九月就要歇業了，要不要在此之前去一趟？」

『好啊。』

據說是隔好多年再玩單板滑雪的T女士也很心動，於是她問S主編要不要一起去？S主編說，即使更改會議的時間也要一起去。超過一百二十歲的三人組活力充沛。

SSAWS滑雪場是位在千葉縣的全世界最大室內滑雪場，最大的賣點是一年四季都可以滑雪，但因為各種因素決定歇業。

我和T女士約好會合時間，由我開車來到SSAWS時，S主編已經在建築物前等我們，而且已經換好了衣服。他穿上了雪鞋，戴著針織帽。他也太拚命了，平時上班時也這麼活力充沛嗎？一問之下，才知道他去買了滑雪板和固定器，但雪鞋是別人送的（去買新的嘛），滑雪裝也是租的（去買新的嘛）。

我們簡單打招呼後走進SSAWS，因為是非假日的上午，原本以為一定沒什麼人，沒想到擠滿了看起來像高中生的年輕人。我們忍不住面面相覷，這是怎麼回事？

原來是因為剛好遇到高中放春假期間，那些無所事事的高中生就決定來滑雪。

照理說，超過一百二十歲的三人組擠在一群高中生中很突兀，但我們絲毫不以為意。畢竟我們已經在GALA湯澤滑雪場磨練過了。

我回想著上次的上課內容滑了兩個小時，S主編因為工作的關係必須先離開。

「啊呀，真是可惜啊。」

雖然我嘴上這麼說，但內心在偷笑。呵呵呵，這下子我可以比他多練習幾個小時，絕對會和他拉開距離。S主編離開SSAWS之前，露出帶著一絲恨意的眼神看著我。

在S主編離開後，我和T女士盡情滑到單板滑雪時段結束為止（SSAWS

滑雪場有分單板滑雪時段和雙板滑雪時段）。至於我們到底有多拚命，T女士說她隔天早晨起床時，發現自己下半身不對勁，急忙貼了一大堆痠痛貼布（這個部分當然是T女士告訴我的）。

在SSAWS復習了上次學到的內容，兩天之後，我來到了水上高原滑雪場。S主編不知道這件事，也請T女士為我保密，所以完全是偷偷練習。

可惜我失算了。水上高原滑雪場內很多都是全家一起來滑雪的家庭客，至於這有什麼問題呢？就是雙板滑雪的人數遠遠超過單板滑雪的人數。

到處可以看到夫妻一起滑雪，和父母教孩子滑雪的景象，那些父母的年紀都和我差不多，也就是說，並不是玩單板滑雪的世代。

我在觀察一陣子之後，產生了一個偏差的印象。我覺得那些家長簡直就像在為自己的孩子洗腦，讓他們變成雙板滑雪派，他們嚴格監視，絕對不讓孩子對單板滑雪產生興趣。一旦兒女迷上單板滑雪，他們試圖透過滑雪展示父母有多了不起的企圖就會泡湯，不，不僅如此，甚至無法和兒女在滑雪場一起享受滑雪的樂趣，所以絕對不能讓兒子或女兒被可恨的單板滑雪派搶走。我這樣想會太壞心眼嗎？

話說回來，這種事無關緊要，總而言之，水上高原有很多人在玩雙板滑雪，滑雪場本身似乎也是為雙板滑雪所設計的，所以我無法滑得很盡興，但有充分的機會實踐出發前記在腦袋裡的理論。這些理論都是我從《單板滑雪手》這本雜誌，和《5天神速學會單板滑雪》（實業之日本社出版）上學到的，尤其是《5天神速學會單板滑雪》這本書簡直太厲害了，因為據說只要根據書上的內容練習，只需短短五天，就可以學會半管和跳躍這些招數。只不過我日後逼問也是這本書責任編輯的M主編，是否真的那麼神，他很乾脆地回答：「那是唬人的。」最後還說什麼「短短五天時間，怎麼可能學會這些招數嘛，哈哈哈」。我原本就猜到了，所以並沒有生氣。

兩個星期後，我把自己去水上高原的事告訴S主編，他怒目圓睜地向我抗議：

「怎麼可以偷跑？一個人跑去練習，這也太奸詐了吧？你太不上道了，怎麼可以這樣？」

我原本以為他會一笑置之原諒我，看到他這麼孩子氣地勃然大怒，我簡直驚呆了。四十多歲的大男人，會因為別人偷練滑雪這麼不甘心嗎？但這也代表他完全愛上了單板滑雪。

也許是因為太不甘心了，S主編指示T女士立刻安排第二次滑雪旅行。這可不是一件容易的事。因為已經四月，大部分滑雪場的雪已經融化，而且幾乎都已經不再開放了。

和T女士討論之後，我們決定去神樂．田代滑雪場。那一帶海拔很高，在黃金週期間還可以滑雪。

但我們的住宿訂在苗場王子飯店，從那一年開始，有一條可以連結苗場和田代滑雪場超長龍纜車開始營業，我們也很期待搭乘龍纜車。

我在出發前必須做一些準備工作，那就是要買新的滑雪服。或許有人納悶，之前不是剛買了滑雪服，為什麼又要買？其實是因為不得已的原因。我這個人超級怕熱，而且超級會流汗，之前去GALA湯澤時，滑雪服下只穿了一件T恤，但還是滿身大汗，整個人就像泡了澡一樣，所以我必須買一套春天滑雪時穿的薄質滑雪服。

我去了有很多運動用品店的神田，因為換季的關係，已經很少在賣冬季運動用品，幸好還有幾家店正在拍賣滑雪用品。我一走進其中一家店，就對女店員說，我要買很薄很薄的滑雪服，給我店裡最薄的滑雪服。

「啊？很薄很薄的嗎？」女店員瞪大了眼睛。

「對，穿了不會熱的那種。」

我向她說明了情況，她似乎剛好沒有其他事，所以熱心地開始幫我找，最後推薦我買布料很薄，而且沒有連帽的滑雪服。

「沒有帽子的話，看起來就很涼快。」

「是喔。」

我試穿之後，發現的確很涼快。雖然我完全不在乎看起來的感覺，但心理感覺真的很重要，所以我就決定買了。

一切準備就緒，終於出發了，我們坐上S主編的車子準備先去苗場。上網查資料時，顯示苗場滑雪場的積雪有一百一十公分，但我們到那裡之後，發現滑雪場內根本只是灰色地面上堆了幾坨黑乎乎的雪而已，有些地方甚至可以清楚看到底下高爾夫球場的痕跡，因為連果嶺和沙坑都露了出來，完全打消了我們原本打算先在苗場滑一下的念頭。

「這是怎麼回事？根本不像滑雪場嘛。」

「好像只有往龍纜車那個區域還有積雪。」T女士說。

於是，我們立刻決定直奔田代滑雪場。

到了田代滑雪場，搭上纜車後，簡直大吃一驚。放眼望去，一片白色的世界。四月中旬還有積雪這麼厚的地方，真是太令人感動了。

我們立刻滑了起來，可惜斜度並不夠，就連我們這種新手程度，也可以幾乎不跌倒地一路滑下去。我們覺得這樣太不過癮，於是決定去神樂滑雪場。從田代去神樂時，必須搭吊椅纜車，還要在林道中滑一段路。當我們實際前往時，才發現路途遙遠得令人厭世。在林道中滑雪的時候也只是沿著道路筆直向前滑，因為斜度很和緩，中途速度慢下來時，忍不住緊張起來。單板滑雪和雙板滑雪不一樣，一旦停下來就完蛋了。

S主編常常掉隊。一問之下才知道，他中途不時停下來。我幾乎都比他晚出發，但不時超越他。雖然體重應該會有影響，但他的滑雪板好像很不好滑。隔天早晨在為滑雪板打蠟時，終於知道了原因。他這個人很怕麻煩，所以打蠟時很馬虎，他可能覺得只要多抹點蠟上去就好，只不過當事人說「我覺得自己已經很仔細了」。

我從春天開始學單板滑雪，所以內心一直有一種錯覺，認為這是夏天的運動，直到八個月之後，才重新認識到這是冬季運動。

來到神樂滑雪場，等待著我們的是一百分的滑雪場地。有很多起伏，斜度也很充足。我們暢快地滑了幾次之後，決定稍微休息一下。我們必須要從和剛才不同路線滑下去，才能到達餐廳。

沒想到等待我們的是嚴峻的考驗。斜坡整體有很多凹凸，而且每個凹凸差不多有及腰的高度，其他單板滑雪手也在斜坡前停了下來。

但不知道為什麼，我的腎上腺素突然飆高，不顧T女士和S主編停在那裡，獨自衝向有凹凸不平的斜坡。

滑了沒多久就飛了出去，然後跌倒。跌倒後站起來繼續滑，轉彎，然後又飛出去，跌倒——一路上都這麼狼狽，但幾分鐘後，我來到餐廳門口。

T女士和S主編隔了很久才到，然後我們一起走進餐廳休息。

「那些凹凸真的把我整慘了。」

「我看到你衝進去時嚇了一大跳。」

「那到底是什麼？」

我們看了T女士帶來的地圖後大吃一驚，原來我們剛才滑下來（應該說是一路跌下來）的滑道寫著「貓跳區」。

「貓跳區？那是什麼？里谷多英那種職業選手滑的滑道嗎？」

難怪這麼難滑。我們三個人大笑起來，但我內心有了一個目標。如果可以用單板在那種雪道馳騁，不知道有多棒。好，有朝一日，我也要學會在貓跳區滑雪。

那天晚上我們住在苗場，隔天早上搭了龍纜車。總共搭了十五分鐘的纜車。太厲害了，實在太厲害了。纜車沿著斜坡上升後，又突然像雲霄飛車一樣急速下降。我忍不住想，如果有懼高症的人一定會嚇死，結果發現坐在我旁邊的S主編僵在那裡。

這一天，我們以神樂滑雪場為中心盡情地滑雪。因為氣溫很高，所以積雪都鬆垮垮，但只要有積雪就已經是萬幸了。而且因為是星期一上午，整個滑雪場沒什麼人，所以自由自在滑得很開心。

但並不是十全十美，因為有很多吊椅纜車都停駛，忍不住有點擔心有沒有辦法回到苗場。

我們滑到中午過後，再度搭龍纜車回到苗場，雖然換了衣服後坐上車，但並不是直接回東京。我們要先去田代泡溫泉。

泡溫泉療癒了因為滑雪而疲憊的身體後，當然還得來點啤酒。但有一個問題，因為S主編要開車。

「啊呀，真是不好意思。東野先生，那我們來乾杯。」

T女士一臉幸福地把啤酒杯伸了過來，我也用自己的啤酒杯和她乾了杯。我們的面前放著關東煮和毛豆，S主編也拿起了烏龍茶。他的面前放的是一碗豆皮烏龍麵。

我用生啤酒潤著乾渴的喉嚨時想，回程的車上要努力撐住不睡覺。

（二〇〇二年四月）

ちゃれんじ？

我去看了世界盃足球賽！

老實說，之前得知要在日本舉辦世界盃足球賽時，心裡有點不太爽。因為這麼一來，一定會亂花納稅人的錢，而且會建造很多以後變成蚊子館的設施，又會有許多亂七八糟的外國球隊球迷跑來日本，搞不好還有人會非法居留，反正我滿腦子都是這些負面的想像。

但真的舉辦之後，情況並沒有我想像中那麼嚴重。那些外國球隊的球迷很安分，也沒有看到所謂的足球流氓。仔細想一想就發現，決定要在日本舉辦的當時，和目前在很多方面的狀況都大不相同了。而且說句實話，來這個遠東的島國旅費太貴了，不可能花大錢買了機票，只是為了來這裡鬧事，而且日本現在也沒有那麼大的吸引力，讓人想要非法居留，更何況也找不到工作。

但亂花納稅人的錢這一點應該如我所想。因為有很多政客雖然對足球漠不關心，但很想趁這個機會大發一筆橫財。有人中飽私囊就會有人吃虧，我很在意到底誰會吃虧這件事，也很擔心想要支持足球，健康享受足球樂趣的民眾吃虧。

我會寫這麼一大堆煩人的事其實是有原因的，因為我是在世界盃足球賽的決賽結束一個星期後寫這篇稿子。激情過後的空虛寂寞，讓我這一陣子做任何事都意興闌珊。那到底是怎麼回事？我忍不住回顧逝去的這一個月，簡直就像看著秋日的天空，回想起夏日的那段戀情。我相信應該有很多人都和我一樣。

說實話，在世界盃足球賽開始之前，我並沒有很關心這件事，但並不是完全不想看。我對所有運動比賽都很有興趣，而且也自認為在這方面的知識比普通人更加豐富，只不過在各項運動中，足球是我比較不擅長的領域，至於箇中原因，我自己也不是很清楚。雖然為了深入瞭解足球，在J聯盟成立時，我就訂了體育報，也買了很多足球雜誌。

所以原本以為即使世界盃足球賽開打，我應該只會看有日本隊參加的比賽，以及晉級八強，爭奪冠軍的比賽，做夢都沒有想到自己會親臨現場。

我意外得到了去看準決賽和決賽的機會，連我自己都嚇了一大跳。

『我、我們去看。一旦錯過這個機會，再、再、再也沒辦法在這個世紀在日本看到世界盃了。要去看，要去看，死、死、死也要去看。』

K川書店的責任編輯E編打電話給我時用興奮的語氣說道。他對足球應該也不太瞭解，但手上有門票，就忍不住激動起來。

「我很高興有機會去看，但有這麼好的事嗎？是不是有什麼交換條件？」

『不是什麼大事啦，呃，就是請你去看比賽，希望你願意為我們寫稿，嘿嘿嘿。』

果然又扯到了工作。這也難怪。我能夠理解，也忍不住偷笑起來。世界盃足球賽的門票稀有程度眾所周知，如果可以去看準決賽和決賽，去酒店喝酒時，絕對可以在那些小姐面前風光一下。於是我立刻去銀座喝酒，逢人就說要去看世界盃足球賽，結果非但沒有人對我露出羨慕和崇拜的眼神，反而把我臭罵了一頓。

「為什麼你這種對足球一竅不通的人可以去看！」

「我用盡了各種方法，還是沒辦法買到票！」

「你還是把票給我，我代替你去看。」

「把票交出來，趕快趕快，我不是叫你把票交出來嗎！」

那些小姐只差把我生吞活剝，我只好連滾帶爬，落荒而逃。

只不過我能夠體會她們的心情，這次的門票之亂太嚴重了。熱衷的球迷費了九牛二虎之力也買不到票這種事絕對不合理。售票系統太費解、太麻煩，而且效率太差，拜倫公司擺出一副事不關己的態度，日本政府一直等到事態一發不可收拾時，才終於採取行動。

這麼一想，就覺得我拿到世界盃足球賽的門票簡直就是暴殄天物。為了避免真的浪費了這張門票，我必須在比賽之前讓自己成為足球迷。那天開始，只要有時間，我就會坐在電視機前看比賽。因為有很多看不懂的地方，所以還特別請朋友馳星周指導了一番。不管說我是速成球迷也好，臨時抱佛腳球迷也罷，反正我希望自己能夠名正言順地去球場觀賽。

準決賽之前，我在電視前看了十幾場比賽。我知道別人一定覺得次數很少，但這已經遠遠超過了我在世界盃開幕前預計觀看的場數。只不過我都是看無線電視台和ＢＳ衛星電視。我在聊起這件事時，馳星周嗤之以鼻地說：

「你真是外行，如果要看電視轉播，當然要看SKY PerfecTV，那個體育主播超專業。」

即使他這麼說，但我家沒有裝，所以也沒得看。

在半準決賽的巴西隊和英國隊之戰時，我聲援英國隊。因為我覺得如果可以親眼看到貝克漢，別人應該會更羨慕我，去酒店喝酒時也可以更吸引女生。我這個人就是學不乖。

沒想到最後巴西隊獲勝，要和土耳其隊對決。

眾所周知，準決賽在埼玉體育館舉行。雖然我開車過去，但停車場離體育館超級遠，而且到了體育館之後，又被要求繞了大一圈，接受好幾次檢查，等我坐下來時已經累壞了。雖然是六月，但那天很冷，就連向來怕熱的我也穿上了厚衣服。

在比賽之前，我一直擔心埼玉體育館的草皮會不會有問題，但似乎是我杞人憂天。從看台上往下看，發現草皮剪成漂亮的圖案，簡直就像是電腦動畫。兩隊選手在如雷的掌聲和歡呼聲中上場，這又是另一種美。草皮和制服的對比充滿藝術感，我覺得自己好像在看電腦遊戲。

但優雅的畫面到此為止，在開球的同時，兩隊人馬就以肉體、精神和技術為武器展開激烈對戰，漂亮的制服在轉眼之間沾滿了汗水、沾滿了泥土。

選手在追著球跑的同時，每個瞬間都運用自己的經驗，或是憑本能採取最佳策略，就好像將棋高手腦海中同時浮現好幾種棋路，從中選擇最佳的一步棋。我根本無法想像那些選手深遠的思考，視線只能追著球和選手，但思考完全跟不上球場上的節奏，當我準備思考時，場上的狀況已經發生了變化。我相信精通足球的人，應該可以瞭解選手每時每刻在想什麼。

我知道自己沒資格說這種話，但我認為這正是足球最大的魅力。雖然球的去向決定了比賽的勝負，但是選手在操控腳下的球。如果無法洞悉他們的想法，也許就不算真正觀賞足球。

只不過我現在為這種事嘆息也為時太晚了，反正我的雙眼就一直追著球跑。更何況體育館除了我以外，還有許多對足球一知半解的人。坐在我旁邊的大嬸在前半場拿起望遠鏡，幾乎都在看其他觀眾席。

聽她不停地說，「啊喲，某某太太坐在那裡。咦，某某太太坐在哪裡呢？」我很好奇她的門票是哪來的。

上半場是0比0。即使我這個大外行，也看得出土耳其隊很賣力，與之前和日本隊比賽時完全不同。如果土耳其隊那天也像今天一樣，日本隊應該無法表現得那麼英勇善戰。

但是，有九成以上的日本人都支持巴西隊，所以我有點反感。不知道是因為巴西隊是強隊，還是因為土耳其隊之前打敗了日本隊，但我覺得太過分了。我當然知道支持哪一隊是個人自由，對這兩支隊伍來說，根本沒有主場和客場之分，但觀眾聲援人數大不相同，未免太不公平了。有很多人身上穿著巴西隊的制服，沒有一個人穿土耳其隊的制服，甚至有人穿著有貝克漢名字的英國球隊制服，真不知道那個人的腦袋在想什麼。那個人還理了平頭，但他自己似乎也覺得有點尷尬。

我忍不住同情弱者，決定支持土耳其隊。土耳其隊選手的身材和日本人相似，要迎戰巴西隊，支持他們是人之常情，不是嗎？

只不過現實很殘酷，後半場開始不久，羅納度踢進一球。啊，這下子完了。雖然這麼想，但也因此更加聲援土耳其隊。只要和自己無關，日本人向來會聲援落後的球隊。我的雙眼盯著場上的球，在心裡大喊。加油，光頭！加油，辮子頭！（有在關心土耳其隊的人，一定知道光頭和辮子頭是誰）

令我驚訝的是，巴西隊明明已經領先了，但大部分觀眾仍然支持巴西隊。喂，那裡的小姐，不要每次看到巴西隊展開攻擊，妳就站起來——我的心情越來越惡劣。

時間一分一秒流逝，完全不理會我惡劣的心情，然後比賽就結束了。我斜眼看著那些欣喜若狂的巴西隊球迷，走出了體育館。一點都不好玩。當然，這只是因為我聲援的球隊輸了，比賽本身很精彩，我很慶幸第一次現場觀看的足球比賽是這樣的比賽。

四天之後是巴西隊對德國隊的決賽，這是足球史第一次在決賽中出現這樣的組合。比賽地點在橫濱。因為球場附近實施交通管制，所以必須在傍晚五點之前進入球場。我提早出發，高速公路上沒什麼車子，結果比預計時間提前很早就到了。要怎麼打發三個半小時？

我和馳星周、體育記者金子達仁先生會合，一起去招待會會場。我很節制地喝著啤酒和葡萄酒，以免自己喝醉，然後打量周圍，發現有許多熟面孔。拉莫斯．瑠偉出現在那裡很正常，但為什麼TUBE樂團的前田也在這裡？還有巨人隊的上原和後藤。前田和上原都穿著巴西隊的制服，我相信不是他們自己花錢買的，八成是球隊贈送的。球隊的人應該跟他們說，我們送你門票，可不可以請你穿上這件制服聲援我們？既然這樣，為什麼後藤穿德國隊的制服？

我聽馳星周和金子先生聊足球的事，我也貢獻了拾人牙慧的足球冷知識，不一會兒，比賽即將開始。這次也走了很長一段路才到比賽場地，也檢查了隨身物品。

這次的座位很豪華。至於豪華在哪裡，就是解說陣容很龐大。馳星周和金子達仁先生坐在我斜後方，玉木正之先生坐在我旁邊，這種陣容簡直就像是電視的特別節目。

巡視整個球場，發現有些區域都空著。門票問題直到最後都沒有解決嗎？我要記得把這件事告訴酒店的那些小姐。

比賽開始了。據說這場比賽的關鍵就在於巴西隊的攻擊陣容和卡恩之間的較勁，我有點難以苟同。因為無論守門員再強，很多時候也無能為力，但這也代表德國隊並沒有強大的武器，原本可望成為這一屆世界盃足球賽神射手的克洛澤，也只有在對沙烏地阿拉伯之戰中大顯身手。

其實馳星周之前就告訴我，「決賽常常很無聊」。因為雙方都不想輸，所以在場上踢得很消極保守，所以很多決賽都以ＰＫ賽決出勝負。我很不希望看到這樣的比賽，幸好在上半場就展開了激烈的攻防。綜合我周圍三位解說者的內容，得知德國隊有出乎意料的良好表現，也有人認為是他們在這次世界盃足球賽中表現最出色的一場比賽。德國的選手的確滿場跑，完全感受不到一絲疲勞，簡直就像吸收了韓國的能量。

卡恩的防守依然牢不可破，即使是危險的場面，他也用令人難以相信的反應速度飛撲完美接殺。玉木先生說：「他簡直就像是手球守門員。」這場比賽果然是巴西隊的攻擊陣容和卡恩之間的較勁，比賽時，大部分觀眾仍然聲援巴西隊。卡恩每次接殺，場內就響起巨大的噓聲，但卡恩若無其事地把球踢出去，太了不起了。

事到如今，我當然堅守立場。德國隊加油，卡恩加油。但是，無論守門員再神勇也無法得分。上半場以0比0結束了，但關鍵在於德國隊是否能夠先得分。

三位解說員都認為德國隊今天的表現和之前完全不同，這種良好表現到底能夠持續到什麼時候？連我這個大外行也知道，一旦失去了上半場的衝勁，就完全沒有勝算。

這種不祥的預感成真了。上半場在整個球場滿場跑的德國隊漸漸跑不動了，就像是鹹蛋超人的彩色計時器開始閃爍，於是，巴西隊接連展開攻勢，在第六十七分鐘時，卡恩的神力也耗盡了。

在巴西隊進球的瞬間，我周圍所有的觀眾都站了起來，簡直就像廟會般熱鬧不已，還有年輕人拿著巴西的國旗在通道上奔跑。

應該並不是只有我一個人認為世界盃在那個瞬間落幕了，雖然這場比賽最後的結果是2比0，但第二分就像是奉送的。

恭喜巴西隊，你們是這一屆世界盃的冠軍。

我看著巴西隊的球迷用森巴的節奏表達內心的喜悅，覺得如果有朝一日，能夠發揮同情弱者的精神支持這個球隊，應該會很有意思。

（二〇〇二年七月）

ちゃれんじ？

SSAWS之戀

在我開始挑戰單板滑雪後不久，得知了位在船橋的全世界最大室內滑雪場SSAWS即將歇業的消息。春天的山上還有積雪，而且我對單板滑雪還沒那麼熱衷，所以聽到當時的感想也只是「喔，是喔，又一個泡沫經濟時代的象徵消失了」。

隨著各地的滑雪場徹底關閉，就深刻體會到SSAWS的可貴。一方面是因為我好不容易才學會，所以滿腦子都想著滑雪。

我從五月中旬開始，每個星期都去SSAWS報到。說句心裡話，起初覺得有點害羞，因為這個季節還想滑雪的人個個都是高手，而且也都很年輕，所以我做好了心理準備，像我這種技術很爛的大叔也和他們擠在一起滑雪，一定會遭到嘲笑。

但是，事實和我的想像不一樣。的確有很多高手，但也有不少初學者和初級者，甚至有超過一半都是這種客人。而且那些高手專心提升自己的技巧，根本懶得看其他人，尤其根本不會理會技術很差的人。

雖然高手對我這種人不屑一顧，但他們滑雪的樣子很值得我參考，每次搭乘吊椅纜車時，都是偷學他們技術的絕佳機會。

在我頻繁光顧後，發現經常看到幾個滑雪客，也就是所謂的常客。這些客人通常都獨來獨往，所以我也算是常客之一。

常客都是滑雪高手，不，我當然是例外。他們不需要等朋友一起搭纜車浪費時間，只是默默地滑了一次又一次，而且也都很有禮貌。

她也是一名常客。

她一身鮮紅色的滑雪服，戴著針織帽，戴著滑雪護目鏡。坐在吊椅纜車上，一眼就可以看到她在場上滑雪的樣子。她的衣著很搶眼，滑得超好。轉彎的動作很俐落，而且很懂得隨機應變。無論是左腳在前還是右腳在前，都可以輕鬆滑過高階的斜坡，當差一點撞到其他人時，總是輕盈閃避，輕鬆地完成花式特技，然後繼續快速向前滑，簡直就是雪地上的紅色忍者。似乎並不是只有我覺得她很厲害，經常聽到一起搭纜車的人稱讚說「那個女生超厲害」。

我曾經和她一起搭纜車。雖然是四人座的吊椅纜車，但當時剛好只有我和她兩個人，那是搭訕的絕佳機會，但該對她說什麼？她一定覺得陌生人突然對她說話很可怕，而且我也不希望她覺得我想要把她。乾脆謊稱自己是單板滑雪雜誌的編輯，但說謊還是不太好——我舉棋不定，猶豫不決時，纜車已經抵達頂端。我只能詛咒著自己的懦弱，目送一身紅衣的她輕盈地跳下纜車離去。

上天並沒有放棄我這個可憐的男人，我意外有了和她說話的機會。那是在滑雪場旁的速食店，而且是她主動開口和我說話。雖然她只是問我：「我可以用這個嗎？」

她說的「這個」是指菸灰缸。那家店總是人滿為患，菸灰缸經常不夠用，她只是問我是否可以一起使用我正在用的菸灰缸。

我當然欣然答應，於是就獲得了和崇拜的女神面對面一起喝咖啡的幸運。

「人好多。」我鼓起勇氣對她說。

「是啊，夏天之後，人突然多了起來。」她在說話時，彈了彈香菸的菸灰。

她有一雙大大的鳳眼，不說話的時候嘴角有點下垂，一看就是個性不服輸的任性女生。

「因為快歇業了，所以很多人急忙來光顧一下。」我對她說。

她點了點頭，看著窗外的滑雪場，幽幽地說：

「如果這裡歇業，不知道明年之後該怎麼辦……」

我看著她落寞的表情，胸口好像突然被揪緊。她和今年才開始學單板滑雪的我不一樣，一定每年都在這裡練習，對她來說，這裡即將歇業這件事一定是難以承受的壞消息。

「淡季的時候，妳都會來這裡嗎？」我問她。

她轉過臉來，對我點了點頭。

「雖然也會去紐西蘭之類的地方，但太花錢了，而且這裡的雪況也很穩定。」

「妳是職業選手嗎？」

「還不是……但希望有機會成為職業選手。」

原來是這樣。我恍然大悟地點了點頭。

那次之後，每次遇到時，我們都會稍微聊幾句，但聊天的內容也只是「今天也很多人」或是「還有兩個月就要歇業了」而已。

進入八月後，造訪ＳＳＡＷＳ的人更多了。即使是非假日，也要排隊等十多分鐘才能搭上纜車。在搭纜車時，聽到其他年輕人也都在聊這裡即將歇業這件事。

「這裡的生意這麼好，怎麼可能虧損？」——幾乎每一個來到ＳＳＡＷＳ的人都會產生這樣的疑問。

「那是因為這裡快歇業的關係，之前應該沒什麼生意。」

「不，沒這回事。我之前好幾次都是非假日來這裡，很少有客人寥寥無幾的時候。」

在此記錄一下提供參考，ＳＳＡＷＳ的入場人數在顛峰時達到一百萬人次，去年度約七十萬人，至於這到底是業績下降，或是趨於穩定，可能見仁見智，但我認為這種設施能夠維持顛峰時七成的人數已經很不錯了。聽曾經在顛峰時期造訪過這裡的人說，「那時候太擁擠了，根本沒有辦法好好滑」。所以說，這裡根本沒辦法容納可以維持盈利經營的入場人數。我認為經營者想像的入場人數和實際情況之間產生了落差，也許經營者想像來這裡的客人都是下班後來這裡滑兩個小時，然後去酒吧喝杯酒再離開，所以才會打出「兩手空空來滑雪」之類的廣告

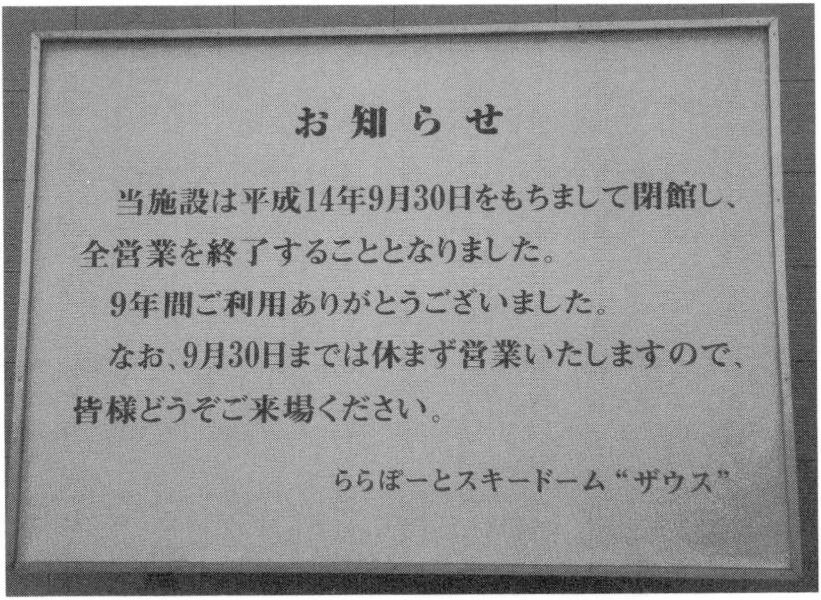
お知らせ
当施設は平成14年9月30日をもちまして閉館し、
全営業を終了することとなりました。
9年間ご利用ありがとうございました。
なお、9月30日までは休まず営業いたしますので、
皆様どうぞご来場ください。
ららぽーとスキードーム“ザウス”
SSAWS歇業公告

九月某一天的單板滑雪時段。明明有很多人……

詞，提供了從滑雪服到手套都可以租用的出租服務，難怪和滑雪場的大小相比，這裡的置物櫃數量多得有點異常。經營者希望一天之內有好幾批客人光顧這裡。

但實際情況並不相同。來SSAWS的人有一大半都熱愛單板或雙板滑雪，只要時間允許，他們會盡情地在場上滑雪，而且他們難以接受租來的道具，經營者原本期待可以賺錢的酒吧和餐廳生意也很冷清。因為這些人只要能夠滑雪就滿足了。

正因為這裡的客群都是這樣的人，所以才能夠維持顛峰時期七成的人數。我可以很有自信地斷言，這七成的人數不可能再繼續降低。因為這七成都是「如果沒有了SSAWS，不知道該怎麼辦」的人。即使門票價格翻倍，入場人數應該也不可能減少一半。

正如我有自己的分析，來SSAWS的每個年輕人也都有各自針對這個滑雪場的重建方案。在一起搭纜車時，經常可以聽到他們談論自己的點子。

「這裡玩單板滑雪的人遠遠超過雙板滑雪的人，應該增加單板滑雪的時段。」

「也有不少雙板滑雪的客人啦，我覺得應該採取時間制，限定只能滑兩個小時，延長時需要加收費用，這樣就可以減少門票不當使用的狀況。」

只不過他們也知道，現在談論這些無濟於事，因為ＳＳＡＷＳ歇業已經是無可避免的事實，所以很多人希望歇業之後，由其他企業收購。

「聽說樂天世界要買下來。」

「這件事已經破局了，現在只能寄望於迪士尼了。」

「啊，迪士尼會買嗎？」

「我怎麼知道？因為這裡離迪士尼樂園很近，所以我覺得也許有希望。」

「搞什麼嘛，真讓人失望。」

我在一旁聽了，也很想說「真讓人失望」。距離歇業只剩下不到一個月，雖然知道大勢已定，但內心還是期待會有奇蹟發生。

但是，完全沒有奇蹟的影子。為了避免自己內心留下遺憾，所以九月之後，只要有時間，我就往ＳＳＡＷＳ跑。不管是非假日還是白天，ＳＳＡＷＳ總是人滿為患，我一點都不誇張，每次從頂端往下看，場內的人多得簡直就像是樹林，根本沒辦法練習，只能在人群中鑽來鑽去拚命滑，所以我只有急速改變方向這項越練越順了。

紅衣女生也每天都來這裡。我坐在纜車上時，看到她也經常和其他滑雪客發生碰撞，但她絕對不會跌倒，對可以自在運用各種技巧的她來說，可能覺得有一些障礙物反而更有趣。

「只剩下一個星期了。」在休息站一起喝咖啡時，她對我說。

「對啊，妳下個月打算怎麼辦？」我問她。

「還沒有決定，目前打算去室內地形公園看看。」

「是喔……」我只能點頭。去地形公園滑雪是我遙不可及的夢想。

我想像著可以和她在SSAWS以外的地方見面。她一定會在最後一天來這裡，我們一起滑到最後，可以約她一起吃飯。

接下來的一個星期，我每天都去。雖然調整工作的日程並不是一件輕鬆的事，但現在不是說這種話的時候。雖然最重要的滑雪技術絲毫沒有進步，但這種事也已經不重要了。

命運的九月三十日終於到了。

沒想到這一天的人反而比平時少了些，搭吊椅纜車也不需要等太久。我很快就知道了其中的原因。今天來這裡的大部分都是常客。至於我為什麼知道，其實只要看他們滑雪的樣子，馬上就知道了。紅衣女生當然也來了。她看到我時，向我揮了揮手。

我們盡可能一起搭纜車。我和她說話之後，第一次這麼做。雖然我們並沒有約好，只是很自然地一起搭上纜車。

SSAWS內隨時會放音樂，通常都是播放當時流行的歌曲，但這一天不一樣，播放的都是廣瀨香美的〈想談一場整個滑雪場都融化的戀愛〉、少年隊的〈海灣滑雪手〉、TRF的〈BOY MEETS GIRL〉這些懷舊歌曲。這是SSAWS九年來播放的所有暢銷歌曲大串聯，雖然最後一天也沒有什麼特別的節目，但有這些音樂就足夠了。

兩點四十分，這是單板滑雪時段內纜車停駛時間。在聽到廣播的同時，周圍響起了嘆息聲。

「還是結束了。」我說。

「是啊。」她回頭看著滑雪場。

「下次只能等到下雪的時候了，但真希望能夠多在這裡練習一段時間。」

「但你進步不少啊。」她看著我說。

「啊?有嗎?」雖然我知道她在捧我,但還是忍不住眉開眼笑。因為我得知她有觀察我滑雪的樣子,所以很開心,「這麼一大把年紀才開始學有點丟臉。」

「你還年輕啦,那裡不是有一個穿咖啡色滑雪服的人嗎?他比你大十歲,也是從今年才開始學。」

「喔?是這樣啊。」我順著她手指的方向看去。那個人穿著咖啡色滑雪服,戴著黃色針織帽,一臉感慨萬千的表情仰頭看著滑雪場。

「聽說他是作家,好像叫東尾還是東野什麼的,反正差不多就是這種名字,聽說是廣末涼子主演電影的原著作者。」

「是喔。」沒想到那個老頭這麼厲害。既然比我大十歲,那麼今年四十四歲了。「聽妳這麼一說,我好像見過他幾次,有一次摔得超慘。」

「沒錯,雖然他滑的時候很不起眼,但跌倒的樣子超引人注目。」

我們相視而笑,然後很快露出了嚴肅的表情。

「那走吧?」

「嗯。」

我們離開了滑雪場,通往更衣室的門前已經擠滿了雙板滑雪的客人。我滿腦子都在想要怎麼約她吃飯。

走過那道門，正準備走去更衣室時，看到滑雪場的男性員工拿著大聲公說：

「各位雙板滑雪的客人請注意，雙板滑雪時段從下午三點開始，請再稍候片刻。」

停了一秒後，他又繼續說：

「各位單板滑雪的客人，感謝各位今天的光臨。」

在他說完這句話的同時，周圍的其他員工都同時鞠躬，齊聲說「謝謝光臨」。

我忍不住停下腳步，內心湧起一股暖流。轉頭一看，發現她也紅了眼眶。

「真是……美好的回憶。」她小聲地說。

在聽到她說這句話時，我覺得不應該奢望和她在外面見面。既然我和她之間的連結已經消失，我們的關係也必須到此為止。

我們分別走向各自的更衣室，沒有任何約定。換好衣服後，我像往常一樣喝了自動販賣機賣的咖啡，抽完一支菸後走出那棟建築物。我沒有回頭，直接走向自己的車子。

我瞥了一眼出現在後視鏡中巨大的建築，突然覺得自己愛上的並不是她。

（編輯部註：雖然這篇文章混在隨筆中，但各位讀者看了以後就知道，這是作者根據自己的幻想寫的小說，謹在此向各位道歉。）

（二〇〇二年九月）

ちゃれんじ？

大叔單板滑雪手開始倒數計時

雖然我的單板滑雪技術很差，卻偏偏愛得無法自拔，在滑雪場的雪都消失之後，我仍然懷念在雪地滑行的感覺。我絞盡腦汁思考哪裡可以滑雪時，最先想到了SSAWS。

於是，我變成了那裡的常客。因為我每個星期都會去一次。從我家去SSAWS，單程只要三十分鐘，我相信全國的滑雪愛好者都會羨慕不已。只不過這一切都已經成為過去式。

SSAWS要在九月底歇業，也是我整天往那裡跑的原因之一。一想到錯過就沒有下次，就感到坐立難安。我配合SSAWS的營業時間，卯足全力在截稿日之前把稿子趕出來。

一旦養成這樣的習慣，反而讓我的生活開始有規律，日子也過得很愉快。每次從SSAWS回來後，就走進經常光顧的定食餐廳，喝啤酒配什錦燉菜，簡直完美極了。

經常去那裡之後，瞭解到很多事，也可以近距離觀察時下年輕人的生態作為參考，只不過觀察夏天也熱衷單板滑雪的年輕人，可能算是以偏蓋全。但有一件事情很明確，就是無論以前還是現在，熱衷運動的年輕人在本質上並沒有太大的改變。說得好聽點，就是這些人熱情爽朗，說得不好聽一點，就是他們都很笨拙。因為他們就連吃漢堡的時候，也都一直在聊滑雪技巧的問題。雖然偶爾有男生想來這裡把妹，但這種人絕對不會成為常客。

這裡也有不少女生是常客，我經常看到一個身穿紅色衣褲，滑雪技巧很好的女生，但自始至終都不敢向她打招呼。不，我並不是想和她搭訕，只是身為作家，想要採訪她一下。各位讀者可能覺得這是藉口，但我真心不騙。

SSAWS在七月之前還沒有太多人，如果是非假日，搭纜車幾乎不需要等待，但八月之後，人突然多了起來。我相信是因為暑假的關係，中元節時，人就更多了，經常要排十幾分鐘才能搭到纜車，連報紙都報導了這件事。

滑雪場內的人越多，就越感到納悶，「有這麼多人來滑雪，為什麼要歇業？」其他滑雪客似乎也有同感，搭纜車時也經常聽到年輕人在聊這個話題。

當我在盛夏季節也刻苦練習之際，之前的二人組來找我。之前的二人組當然就是S主編和T女士。他們說，九月之後，他們也想一起加入，而且到時候還有嘉賓。

「他叫宮原譽，是和運動品牌YONEX簽約的滑雪選手，目前還沒有成為職業選手，但正在努力考取證照。」

喔喔，半職業的滑雪選手，能夠和這種人一起滑雪的機會簡直千載難逢，不，也許這輩子只有這麼一次。我當然不會厚顏無恥地請他教我，但親眼觀察他滑雪的樣子，一定可以偷學到幾招。而且也可以成為美好的回憶，最重要的是，可以在酒店小姐面前吹噓一下。

在SSAWS即將歇業的九月底，我們約在SSAWS門口集合。T女士也摩拳擦掌，S主編更是躍躍欲試。因為他終於買了新的滑雪衣，只不過那天他說帶去那裡太重了，所以沒有帶自己的滑雪裝備。我對這種做事只做半套的行為滿腦子問號。

我們在等宮原時，看到一個意外的人物從SSAWS走出來。他是獲得梅菲斯特賞的新本格推理作家黑田研二。他扛著滑雪板，臉頰紅通通地走了過來。

一問之下才知道，他來東京參加江戶川亂步賞的派對，所以順便來滑雪。我不知道他熱愛滑雪，但仔細一想後發現，新本格推理作家中，有很多人都是滑雪愛好者。像是笠井潔先生愛滑雪出了名，二階堂黎人先生也是。記得之前他曾經邀我一起去滑雪，但剛好和某文學賞的評審會撞期，所以我婉拒了。

我說明年要以單板滑雪手的身分加入他們，黑田先生一口答應說：「那就等你囉。」於是，冬天又多了一件開心的事。

宮原說會晚一點到，我和S主編決定先進去滑幾趟。S主編有兩個月沒練習了，所以有點擔心「不知道會不會全忘光了」，但仔細一想就會發現，滑雪是冬季運動，照理說相隔一年再滑也很正常，可見我們的感覺已經出了問題。

宮原很快就到了。他比我想像中矮了些，也許在半管滑道或是跳躍時，個子矮一點比較有利。之後我才得知，他不僅下半身肌肉結實，上半身的肌肉也很發達。他認為「關鍵在於全身的瞬間爆發力，所以上半身肌肉也要很結實」。

於是我們一起開始滑，當然直奔高級滑道。宮原最先出發。我想看他怎麼滑，沒想到是直線下滑的直滑降。他以驚人的速度向下滑，然後猛然停了下來，向我們揮手。我在緊張中出發。雖然表現不算出色，但總算能夠做出像轉彎的動

雖然看起來是一個親切善良的年輕人，之後才知道這傢伙是個扮豬吃老虎的壞胚子。

作來到他身旁。「你真的從今年才開始學嗎？看起來像是滑了很多年。」即使有一半是客套，聽到他這麼說還是暗爽在心，但他並不是說「你滑得很好」。

在等纜車時，他和我聊了很多關於他的事。像他這種半職業選手在淡季的時候會拚命打工存錢，以便能夠在冬季全心投入滑雪。簡直太有毅力了，光是聽他說這些，就很想支持他。

但他平時滑雪時都去各地的半管滑道，很少有機會滑沒有障礙的長距離滑道，所以很期待這次的ＳＳＡＷＳ之行。

ＳＳＡＷＳ禁止刻意跳躍的行為，這一點對他這種程度的選手來說似乎有點無法過癮。我發現他不時在角落好像檢查什麼，於是問他在幹嘛，他回答說：「我在找有沒有什麼可以玩的地方。」

「玩的地方？」

「對，就是可以代替滑杆的東西。」

滑杆是滑板中也有的技巧，將滑雪板橫過來，在像欄杆般的長鐵棒上滑行。我很想對他說，我光是在雪上滑就已經夠吃力了，你還想搞花樣。但對技術好的人來說，只是在雪上滑似乎很沒意思。

我們盡情滑到打烊，四個人一起去吃飯。很抱歉，這次去的是我經常光顧的定食餐廳。我邊喝啤酒，邊繼續採訪宮原。

「我想組一個展演團隊，」他說，「目前廠商舉行新商品發表會時，只有和那家廠商簽約的選手參加展演。我希望邀集幾位選手，分別介紹各自簽約廠商的商品，我相信客人看了也比較容易瞭解，我希望舉辦這種以選手為主導的新商品發表會。」

他才二十歲出頭，很有自己的想法。雖然那是他日後的願景，但他已經想到

宮原的頭頂上一直冒著問號，為什麼要和這種大叔一起滑雪？

了自己引退後的計畫。

而且他已經開始邀集朋友成立團隊，團隊的名稱叫「黑羊」，而且還製作了名片。

但這種只有滑雪的生活沒有問題嗎？聽說他有女朋友，於是就半開玩笑地問，女朋友不會抗議嗎？沒想到他的回答讓人笑不出來。

「真的很不妙。因為我整天都在雪山，很少有時間見面，她也開始考慮將來的事……」

嗯，這個問題很頭痛。戀愛和工作之間該如何選擇？到目前為止，從來沒有在這個問題上做出正確選擇的大叔單板滑雪手只能嘆氣。

九月結束，也永遠告別了SSAWS。即使為這件事沮喪也沒有用，只能接受歇業的事實。事到如今，惟有祈禱滑雪場趕快下雪。雖然我知道自己很猴急，但還是上網查了各地滑雪場的情況，發現可以滑雪的日子並不會太遙遠。

位於富士山二合目的Yeti滑雪場搶第一，十月十九日就開始營業。雖然好像是人工雪，但只要能滑，管他是什麼雪。

除此以外，還有狹山人工滑雪場。這是在SSAWS歇業之後寶貴的室內滑雪場。另外還有輕井澤王子飯店滑雪場等，進入十一月之後，有不少滑雪場都陸續準備開張。

於是，我決定先去狹山滑雪場。和ＳＳＡＷＳ相比，那裡真的比較遠，而且沿途都塞車。我克服了這些困難來到滑雪場，發現規模只有ＳＳＡＷＳ的三分之一，而且說是人工雪，但根本就像是鋪了雪酪的人工滑雪場。雖然是室內，但並沒有完全和戶外隔絕，所以雪酪也開始溶化。那天下著小雨，不知道是否因為這個原因，滑雪場內有點霧濛濛。

哇噢，要在這種地方滑雪嗎？雖然心裡這麼想，但還是滑了起來。很奇怪的是，即使在這種地方，還是滑得很開心。那裡的斜坡完全都是初級等級，沒有絲毫刺激驚險，但我還是滑得不亦樂乎。一個人嘀嘀咕咕抱怨不停，最後滑了四個小時。

休息時，和一位很猛的爺爺聊了天。那位爺爺已經七十八歲，從五十歲開始學滑雪。我問他是不是常來這裡，他笑著搖頭否認。

「因為ＳＳＡＷＳ歇業了，所以只好來這裡。在ＳＳＡＷＳ落成之前，偶爾也會來這裡，那時候的雪質比現在更差，根本只是灑上碎冰而已。」

我說SSAWS歇業實在太可惜了，這位爺爺突然露出了嚴肅的表情。

「我跟你說，真是太奇怪了，那裡絕對不可能虧本。雖然我不知道有什麼內情，但建造了那種大型設施，結果說不怎麼賺錢就收掉，這也太不負責任了，既然出來做生意，就要負起社會責任。」

這位爺爺氣得七竅生煙，看到他這麼憤慨，我有點無力招架，也發現原來有不少人為SSAWS關閉這件事這麼生氣。

我對狹山滑雪場感到失望透頂，隔週去了富士山。因為我想去傳說中的Yeti滑看看。看了官方網站，發現那裡雖然是人工雪，但有很長的滑道，而且離首都圈只有九十分鐘的距離也令人滿意。

我從裾野交流道下了東名高速公路，然後開往富士山的方向，但這條路也是開車兜風的理想路線。天氣很好，空氣很清新，腦海中閃過一個念頭，這麼美好的兜風，為什麼只有我孤單一人？但我努力拋開這些雜念，直奔Yeti。

一到Yeti，立刻在車上換好衣服，然後買了門票，從大門走進滑雪場，離開時必須歸還門票。經常聽說各地滑雪場頻繁發生有人轉賣纜車票，導致對滑雪場經營產生負面影響，所以Yeti為了杜絕轉賣行為，採用了這種方法。聽說很多有滑雪場的城鎮制訂了禁止轉賣纜車票的條例，但那些轉賣纜車票的人似乎也有話要說。如果繼續寫這個隨筆專欄的話，我打算日後來討論這個問題。

言歸正傳，Yeti的滑道真的很長，長達一千公尺並非虛假。雖然寬度有點不足，還在可以忍耐的範圍，只不過斜坡的坡度太緩和了。我甚至沒有發現已經來到斜坡，抱著滑雪板走了很長一段路。

話說回來，這裡的雪質不錯，在SSAWS完全無法體會到這種在戶外盡情滑雪的感覺。不知道大家是否都想來感受這種快感，那天雖然是非假日，但有很多人，每次要排十多分鐘才能搭到纜車，每個人的臉上都充滿了滑雪季終於開始的喜悅。

我在和緩的斜坡上滑雪時，告訴自己不必抱怨，不如為自己滑雪有進步，覺得這是緩斜坡感到高興，同時期待滑雪季正式到來。

那天我提早離開回東京，在回程的車上聽到各地初雪預測的新聞，忍不住樂得手舞足蹈。

（二〇〇二年十月）

ちゃれんじ？

大叔單板滑雪手開始活動

終於迎接了二〇〇三年的滑雪季。話說回來，到底有多少人在看這個隨筆專欄？在我周圍，只有實業之日本社的責任編輯T女士，和S主編的興趣是單板滑雪，銀座酒店小姐小t雖然連半管也難不倒她，但她早就辭職了。話說回來，只要編輯繼續邀稿，我就會繼續寫下去。而且在寫這個主題時，即使把去滑雪的錢列為必要支出，稅務署也無話可說，呵呵呵。

言歸正傳。值得慶幸的是，今年進入滑雪季後，各地都很早就開始降雪，原本預告今年會是暖冬的氣象廳也修正了原本的預告，對引頸期盼下雪的人來說，當然是個好消息。當然，也不是沒有想到住在豪雪地區的人很辛苦這件事。

如今可以用上網的方式，透過即時攝影觀察各地滑雪場的積雪狀況。東北的安比高原、夏油，上越的岩原和丸沼高原都很有名，我從根本還不可能有積雪的十一月上旬開始，幾乎每天都會確認這幾家滑雪場的狀況。在下雪的隔天，看到滑雪場一片白色，內心忍不住充滿期待。

「喔喔，搞不好今天就可以滑雪了。」

雖然滑雪場一片白色，但其實只是積了薄薄一層雪而已，過了一天之後，冰雪就融化，露出了地面。我每天都上網看這些影像，然後感到沮喪。

但到了十一月中旬，陸續有一些滑雪場借助了人工降雪機的威力，比往年提早開始營業。丸沼高原和鹿澤雪天地就是如此，透過即時攝影看到單板滑雪手和雙板滑雪手在場上歡樂滑雪的樣子，就忍不住熱血沸騰。

在觀察各地滑雪場的即時攝影時，發現不同地點的降雪狀況大不相同。同樣是上越地區，有些地方為搶先降雪感到樂不可支，但有些地方的雪一直積不起來，令業主傷透腦筋。雪神的心思讓人猜不透。

『完全沒下雪，讓人擔心是否能夠按照原計畫開始營業。』

有些滑雪場甚至在即時影像旁附上這些心酸的話。

玉原滑雪公園也是搶先開始營業的滑雪場之一，而且離沼田交流道只有三十分鐘的車程，從東京前往也很方便。好，今年的滑雪季就從這個滑雪場拉開序幕。於是就在十一月下旬的某一天，我精神抖擻地出發了。聽說沿途可能有少許積雪，但完全不必擔心。因為在十一月保養車子時，已經換上了雪地用輪胎，而且在出發前也充分練習了如何為輪胎裝上鐵鍊。

看到久違的滑雪場，覺得實在太震撼了。在停車場換衣服時，心情就不由地激動起來。

雖然是非假日，但停車場內停滿了車子。我在車上換衣服時，一個陌生男人露出親切的笑容走了過來。

「你要去滑雪嗎？」

「對。」

「那這個可以賣給你嗎？只要五百圓就好。」

他在說話的同時，遞上一張當天的一日纜車票。喔喔。我恍然大悟。他雖然買了全天票，但現在準備離開，所以打算轉賣拿回一點本錢。正常的門票是四千圓左右，但因為這一天是正式開幕之前的試營業，所以只收取初滑費，價格便宜了不少。

「不，今天暫時不需要。」

那個人聽到我的回答，一臉遺憾地走開了。我看著他的背影忍不住想，轉售纜車票到底有沒有問題？應該算是不當行為吧？

轉售纜車票成為各地滑雪場面臨的問題。新潟的湯澤町預估每年因此損失了三億圓的收入，所以制訂了相關條列，全面禁止轉售。

如果有人轉售纜車票，滑雪場當然很傷腦筋。因為原本會在售票處用原價購買的客人不付一毛錢，就可以搭乘纜車。某飯店旗下的滑雪場為了杜絕這種情況發生，引進了在纜車票上加印客人相片的系統（但拍的照片十之八九都很醜），Yeti滑雪場設置了出入口，當客人離開時要回收門票，也是達到相同的目的。

雖然經濟不景氣，但有些滑雪客的行為令人難以苟同，甚至感到憤怒。因為如果滑雪場經營不下去，大家都不能滑雪不是更傷腦筋嗎？

但在深入思考這個問題之後，漸漸產生了新的想法。轉賣纜車票真的會造成滑雪場的損失嗎？出售纜車票的人在把纜車票賣出去之後，當然就無法再搭纜車。買轉售纜車票的人在購買之前，當然也不可能搭纜車。對滑雪場來說，雖然有人沒有買票就搭纜車，但也有人買了票不搭纜車，所以似乎並沒有損失。

損失三億圓收入這件事也讓人產生疑問。從入場總人數來計算，或許是這樣的結果，但如果徹底杜絕轉賣，還能夠維持相同的入場人數嗎？我相信有不少人覺得雖然全天票很貴，但因為可以轉賣，所以才來這裡，也有人覺得因為可以買到別人轉賣的纜車票，所以才想來。

滑雪場方面當然也會有話要說。最重要的是纜車票費用的設定。這是根據入場人數計算出來的數字，並沒有把轉賣行為列入計算。也就是說，如果允許轉賣，就必須將價格設定得更高，這就會增加使用者的負擔。

一旦調漲纜車票的價格，可能會影響客人前往的意願。這個方法無論對滑雪客和滑雪場來說，都不是理想的解決方案。

因為這樣的原因，最近不少滑雪場推出了半天票，對想要提早離開和下午才開始滑的人來說可以省點錢，只不過還是有問題。因為如果半天票的價格和全天票沒有太大差別，就失去了意義，但大部分滑雪場的全天票和半天票（或是限時票）的差額並不大，最多只有一千圓左右。於是有人就會覺得不如買全天票，如果想早一點離開時，再轉賣給別人就好。

至於半天票（或是限時票）的價格無法更低的原因很清楚，那就是因為無論客人多少，纜車運轉、維持和管理費用幾乎相同。如果根據搭纜車的次數收費，費用應該會貴得嚇人。

也許當初推出全天票這件事就是滑雪場方面的失策，八成是為了那些覺得回數票方式太麻煩的客人，推出了全天票，但其實不應該設計全天票，而是一開始就推出半天票或是限時票。即使價格和目前全天票的價格差不多，使用者應該也不會有太大的不滿。

纜車票的問題在不知不覺中占了很大的篇幅，原本並不打算大談特談，但扯到錢的事，就會忍不住認真思考，這是大阪商人的天性，敬請見諒。

今年的第一次獻給了玉原滑雪公園，但搭纜車到山頂，一口氣滑下來後，發現大腿又痠又痛。我又滑了一次，這次更是氣喘如牛。這是怎麼回事？我平時都去健身房鍛鍊，根本沒有任何效果。我忍不住有點失望，但仔細一想才發現，這裡的滑道從上到下足足有一千數百公尺，ＳＳＡＷＳ最多只有四百公尺，所以是ＳＳＡＷＳ的三、四倍。之前都一直在ＳＳＡＷＳ練習，所以沒有掌握力量的控制和分配。我重新認識到，還是自然的滑雪場比較好。

自然的滑雪場不僅滑道很長，而且還有起伏。斜坡上稍微有一點起伏，就會打亂節奏，姿勢也變得很奇怪，遲遲無法滑得很順心，而且還常常跌倒。這都是在ＳＳＡＷＳ這種溫室練習造成的後果，那一天，我帶著沮喪的心情離開了滑雪場。

不久之後，接到了T女士的電話，問我要不要去鹿澤高原滑雪場。我當然沒有異議，二話不說就答應了。

十一月底，包括S主編在內，我們三個人一起前往鹿澤挑戰。這家滑雪場的纜車票不像是票券，更像是小牌子，只要帶在身上，就可以用自動驗票的方式通過纜車的閘門。離開時必須交回，同時領取一千圓押金。這應該也是防止轉售的方法，可見各家滑雪場都動了很多腦筋。

由於積雪不夠厚，所以只有一個滑雪場可以使用，但斜度很足夠，是小試身手的理想滑道。一開始時，雪面因為結冰而很硬，但中途開始下雪之後，就越來越蓬鬆了。

我們像小孩子一樣興奮不已，但滑道只有表面的雪很鬆軟，下面的積雪仍然硬得像冰塊。S主編想要帥氣地練習轉彎，結果跌倒時撞到了膝蓋，他忍不住皺起了眉頭。

由於是非假日，所以客人很少，但有一群人正在上雙板滑雪課。看到他們在練習八字轉向，以為是初學者，但又不太像。因為那些學生都滑得太好了。觀察了一陣子，才發現好像是在培訓教練。既然他們雙板滑得這麼好，單板的技術應該也不差，所以經過他們面前時忍不住有點緊張，但偏偏在這種時候失敗跌倒。運氣太差了，也可能只是我的抗壓性太低了。

我們一直滑到纜車停止，T女士當然不用說，連我和S主編也都可以輕鬆地滑下來。一年之前，誰能夠想像到會有今天這一幕？一想到這一點，就不由地感慨萬千。

回到旅館，當然先泡溫泉，泡完溫泉之後的啤酒好喝得不得了。在酒精的作用下，舌頭變得靈活了，聊天也更有興致。聊天的話題當然是今後如何提升單板滑雪的技術。

S主編說，為了參加這次旅行，他熟讀了自家出版社出版的《神速學會單板滑雪》一書。其他編輯也寄了這本書給我，的確有很大的幫助，但這本書和二〇〇一年由該出版社出版的《5天神速學會單板滑雪》的內容幾乎一模一樣，連書上的插圖也一樣。實業之日本社，你們實在太滑頭了！

先不談這些，多虧看了這本書，我們在聊天時也會隨口說出許多專有名詞。

「書上不是提到起身減壓和屈身減壓嗎？我能夠理解站立時會一下子減少

滑雪板承受的重量，但沒辦法理解蹲下的時候，滑雪板承受的重量為什麼會減少。」（S主編）

「其實並不是蹲下，可以解釋為把滑雪板提起的感覺，這時候，壓在雪面上的力量不是會減少嗎？」（東野）

「原來如此，你這樣解釋，的確比較容易想像，所以可以靠在轉彎時承受的重量把腳伸直。」

「沒錯，和起身時剛好相反。」

旁人聽了我們的談話，一定覺得我們是高手，但不用說，我們兩個人的程度只是比新手稍微好一點。俗話說「學藝從模仿開始」，我們只是從嘴巴開始。

S主編和T女士因為工作的關係，隔天一大早就要回東京。我們依依不捨地走出旅館時，忍不住大吃一驚。

因為我的車子被白雪覆蓋了。把行李放上車之前必須先清雪。

「昨晚下了一整晚的雪，積雪果然很壯觀啊。」S主編輕鬆地說。

我們向旅館借了工具，立刻動手清雪，三個人都沒有說話。

我們的臉上一定寫著——

下了這麼多的雪，我們卻要打道回府了。這輛車已經開了十年。

「可惡！今天滑雪場的雪況一定超讚！」

（二〇〇二年十一月）

ちゃれんじ？

新本格推理滑雪旅行

因為寫這個隨筆專欄的關係，出版業界很多人都知道我愛上了單板滑雪。雖然大部分人都在罵我「都一把年紀了，不知道在幹嘛」，但也有少數幾個人表示歡迎。作家二階堂黎人先生就是其中之一。我和他經常在日本推理作家協會的理事會上見面，有一次他邀請我：

「下次一定要來參加我們的滑雪旅行。」

參加這趟旅行的成員還有笠井潔先生和貫井德郎這幾位本格推理小說的作家。

我問二階堂先生，我是單板滑雪，一起參加沒問題嗎？他親切地回答說，當然沒問題。

於是，我在一月中旬，前往集合地點的八岳莎得徠茲滑雪渡假中心，那裡以前叫八岳賽拉巴雷滑雪場，換人經營之後，滑雪場也改了名字。聽說莎得徠茲是

貫井（右）問我節稅的問題，但黑研（中央）問我要怎樣向編輯延稿。
（照片提供／二階堂黎人）

一家專做蛋糕的公司。

貫井通知我，到時候在滑雪場找人就好，我忍不住有點不安，滑雪場那麼大，有辦法找到嗎？但到了現場後才發現，並沒有想像中那麼大，餐廳也只有一個，而且人很少。原來如此，這樣就不怕找不到人了。我滑了一陣子後去餐廳休息，果然不出所料，剛好遇到了二階堂先生和貫井。他們才剛到。

「黑研應該已經在滑了，我打電話叫他過來。」二階堂先生拿出了手機。

黑研就是文壇新秀黑田研

二，在之前的隨筆中，也曾經提到在SSAWS遇見這個熱愛滑雪的作家。

黑田研二很快就出現了。雖然滑雪季才剛開始，但他臉上戴滑雪鏡以外的地方已經曬黑了。難怪他會從三重千里迢迢跑去SSAWS滑雪。

黑田研二以前曾經在NIFTY SERVE上成立了「東野圭吾書迷俱樂部」，由他擔任會長。當時我們並沒有什麼交流，但在得知他的作品入圍推理小說新人賞時，我曾經寫電子郵件鼓勵他。其實他的名字也曾經出現在我的短篇小說中（歡迎有興趣的人去找一下），所以這趟旅行除了滑雪以外，我還期待可以和他好好聊一聊。

彼此打完招呼後，大家決定去滑雪。這是我第一次和同行一起滑雪，所以搭吊椅纜車時有點緊張。

聽說他們三個人都是雙板滑雪的高手。有趣的是，他們雖然都是雙板滑雪，但完全不一樣。黑研是一級高手、去年夏天還去紐西蘭滑雪，完美掌握了割雪滑行的技巧，相較之下，貫井的滑雪技巧屬於經典傳統型，滑雪板的長度也有兩公尺左右。二階堂先生則屬於短板滑雪，他的滑雪板很短。黑研的滑雪快速俐落，貫井的滑雪經典華麗，二階堂先生則是自由自在。

但他們三個人都是雙板滑雪，我只有一塊滑雪板，和他們一起行動時很辛苦。因為我一旦在平地停下來之後就寸步難行，但這三位雙板人很喜歡在平地集合。無奈之下，我只好超越他們，在稍微前面的斜坡中間等他們。

「雙板滑雪和單板滑雪還是有很大的不同。」貫井深有感慨地說。

「我裝固定器就很耗時，希望沒有造成你們的困擾。」

他聽了我的回答，立刻搖了搖手說：

「即使我們中途停下來，你不是都會超越我們嗎？我們每次都想要趕快追上你，所以很快就出發了，結果幾乎沒什麼休息。以前從來沒有這樣一直滑不停的經驗。」

聽他這麼一說，我才恍然大悟。

滑了一陣子之後，我們再次去餐廳喝茶休息。這裡畢竟是莎得徠茲旗下的企業，所以蛋糕種類也很豐富。黑研看到「蛋糕吃到飽附咖啡　每人一千圓」的招牌時，很認真地猶豫了很久。他很愛喝酒，而且也愛甜食。他現在還很年輕，所以沒有太大的問題，但中年之後絕對會為膽固醇傷腦筋，因為他的身材已經出現了這樣的徵兆。最後他選了「蛋糕和咖啡組合　五百圓」，他說如果點蛋糕吃到飽，不吃超過三塊蛋糕就很不划算。這時，二階堂先生不知道去哪裡買了東西回來，而且把兩塊看起來很好吃的蛋糕放在桌上。

二階堂先生告訴我們，「這是在樓下買的，那裡的蛋糕比較便宜，而且種類也很多。」

嗯，不愧是在作品中會想出各種詭計的二階堂先生，買蛋糕這件事也經過深思熟慮。黑研一臉羨慕的表情盯著二階堂先生的蛋糕。

當天晚上，我們泡了溫泉，吃完晚餐後，就在房間裡喝開了。我原本以為新本格系的作家都不會喝酒，沒想到只有二階堂先生不喝酒。

二階堂先生一直慫恿黑研趕快結婚。二階堂先生認為他每年出五本書，收入應該很穩定。

「你到底為什麼不想結婚？難道想繼續玩女人嗎？」

「不，沒這回事，只是我不覺得有結婚的必要。什麼玩女人，別說得這麼難聽。」

「但你並不是完全沒有喜歡的女人吧？」

「有是有，至於能不能生活一輩子，我覺得有問題。」

「這並不算是真正喜歡。」

「就是啊，你只是想和那個女生上床而已吧？」我也在一旁跟著起鬨。

「不，我覺得上床並不重要，嚴格說起來，我覺得不上床也沒關係，甚至覺得自慰比上床更棒。」

「怎麼可能有這種事？」

黑研聽了我的話，一臉嚴肅地搖著手說。

「不不不，東野先生，這是因為你不瞭解自慰的好處，沒有徹底研究自慰這件事。」

「你徹底研究了嗎？」

「我認為研究得很徹底，」黑研突然挺起胸膛說，「比方說，邊飛邊射完全是爽到極致。」

「邊飛邊射？什麼意思？」

「比方說，可以坐在桌子上自慰。」

「你該不會說在發射的瞬間跳起來？」

「就是這樣啊。」黑研用力點了點頭，「和飛天的感覺超搭，真的超爽。」

「你別唬爛了。」二階堂先生的身體向後仰。

「不，是真的，你們沒試過嗎？」

怎麼可能試過這種事！其他人都否認。

「那我問你，你在完事之後怎麼處理？」貫井戰戰兢兢地問，「我相信會噴得滿地都是。」

「這個嘛，當然是自己擦乾淨啊。」黑研說。

「你在擦的時候不會感到空虛嗎？」

「嗯，是有點空虛啦，但追求快樂的心不能被這種事阻擋。」黑研很有自信地回答。

我忍不住覺得這傢伙的腦袋是不是壞掉了。雖然他只有短暫擔任我的書迷俱樂部會長，但想到這種無腦的傢伙曾經當過自己書迷俱樂部的會長，就不由地感到悲哀。講談社如果知道這傢伙這麼無腦，應該不會把梅菲斯特賞頒給他。

之後的聊天內容越來越低俗沒品，實在沒辦法寫在這裡，就連原本已經上床睡覺的貫井，也忍不住興致勃勃地起床加入我們。

所以，第二天起床時，大家都沒睡飽。笠井潔先生來到飯店和我們會合。這一天，我們要去富士見全景滑雪場。我們分坐兩輛車子前往。我坐上了笠井先生的車子。在車上的時候，我問笠井先生這是他今年第幾次滑雪。笠井先生吞吞吐吐後說：

「十一次，但你不要告訴別人。」

「那不是幾乎每天都在滑雪嗎？你竟然還有時間工作！」

「所以我不是叫你別說出去嗎？」

因為我實在太驚訝了，所以只好寫在這裡。笠井先生，我對不起你。

富士見全景滑雪場要搭纜車上升約二點五公里的直線距離，然後一口氣滑下來，滑道的實際距離應該有三點五公里。以滑道只有四百公尺的ＳＳＡＷＳ來換算，大約相當於九個ＳＳＡＷＳ。這下子慘了，但笠井先生對黑研說：「今天至少要搭十次纜車。」

富士見全景滑雪場太猛了，不僅滑道的距離很長，而且中途還有不少陡坡，只滑了一次就已經氣喘如牛，大腿都快要抽筋了。

但黑研和笠井先生信守諾言，真的滑了十次，太令人驚訝了。更令人驚訝的是，我也滑了九次，但後半段連腿都抬不起來了。

那天晚上，我們去了笠井先生家（正確地說，是他的工作室）。黑研這傢伙臉皮很厚，看到腿部按摩器，就立刻試了起來。

我們喝著啤酒吃火鍋，開始大聊滑雪，吃完火鍋後，仍然意猶未盡，於是又去另一個房間，因為笠井先生播放了割雪滑行的教學影帶，所以就召開了臨時滑雪研究會。

其實我直到不久之前，都對割雪滑行有很大的誤解。原本以為只是滑雪板變短，更容易轉彎，但滑雪技術本身並沒有不同，後來才知道滑雪的方式完全不一樣。

笠井先生在看錄影帶時很生氣。

「為什麼身體不能朝向斜坡下方？以前別人一直都是這麼教我，我很努力練習，才終於做到這一點。」

「但在割雪滑行時不能這樣。」黑研負責說明。

「為什麼？」

「沒為什麼……因為這樣就無法充分發揮割雪滑行的特性。」

「錄影帶上說，要把重量壓在內側的腳上，以前教練一直叫我不要把力量壓在內側腳上。」

「這也不適用於割雪滑行，必須將身體重量壓在內側的腳上。」

「為什麼是這樣？」貫井也噘著嘴，「那我們現在的動作不都錯了嗎？」

「不，也沒錯啦，只是那是傳統的滑雪方式，並不算是錯誤。」

「什麼叫傳統的方式？別把我說成老古董，我們年紀一樣大。」

「不不不，我不是這個意思，只是現在時代改變了，滑雪和小說一樣，都在進行世代交替，所以希望老一代的人可以收山了。嘻嘻嘻。」

「你說什麼？」

「你再說一遍！」

不用說，黑研被我們痛打一頓。

（二〇〇三年一月）

ちゃれんじ？

大叔單板滑雪手無止盡的奮戰

我在中學時練過劍道。練劍道時，當然要戴上護具，除了面具、護胸以外，還有護手。劍道是一項激烈運動，所以很容易流汗。一旦流汗，就會把護具弄溼，尤其護手貼在皮膚上，內側經常很溼。

我相信練過劍道的人都知道，時間一久，護手就會臭得要命。把發臭的護手戴在手上，連手也都會變臭。聞到這股臭味，連鼻子都會被薰歪掉。這完全不是誇張手法，真的超級臭。當我放棄劍道時，最慶幸的事就是永遠都不必再聞那種臭味。

人生永遠無法預測，不久之前，我竟然再次聞到這種照理說已經走出我生命的臭味。地點就在某滑雪場的休息室。我在休息時想抽支菸，那股可怕的臭味撲鼻而來。

我四處嗅聞，試圖尋找惡臭的來源，發現和以前練劍道時一樣，手背發出惡臭。我忍不住皺起了臉。

「怎麼回事啊！為什麼會這麼臭？」

原因只有一個。我聞了聞滑雪手套的內側，結果差一點昏過去。

「嗚呃！」

滑雪手套的內側發出和當年的護手相同的臭味，戴手套時那種溼溼的感覺也很像。

隔天，我對著手套拚命噴除臭噴霧，然後放在陽光下曝曬。因為一次無法完全除臭，所以我重複了好幾次，但仍然有淡淡的臭味。

這也難怪。我忍不住想道。因為有ＳＳＡＷＳ這樣的好地方，我從去年春天開始學單板滑雪以來，幾乎每個星期都戴這副手套。雖然每次用完之後都會晾乾，但從來沒洗過。因為和中學參加劍道社時對待護手的方法相同，所以也理所當然會有相同的惡臭。

這一年來，我真的超努力。我注視著因為噴滿除臭劑而變得溼答答的手套，深有感慨地回顧了這段滑雪生活。

練習了這麼久，我認為自己的技術應該大有長進，為了瞭解自己到底進步到什麼程度，我決定請教練指導一下。我約了S主編和T女士，他們也都很有興趣，而且還邀了把我帶進單板滑雪世界的前《單板滑雪手》的M主編同行。前往的地點當然是我的滑雪啟蒙地GALA湯澤滑雪場。

一月的最後一天，我們和去年一樣搭新幹線前往。上次我對單板滑雪一竅不通，為不知道會有什麼考驗在等待自己感到心驚膽戰，但這次完全不一樣，迫不及待地希望趕快試試身手。唯一的擔心就是滑雪場的雪況。

「希望可以下點雪，在鬆軟的新雪上滑雪最棒了。」

「新雪嗎？聽起來很不錯。」

我們一路聊著天，當新幹線離目的地越來越近時，我們個個面色凝重起來。因為窗外下著大雪，風也很大。

新幹線抵達GALA湯澤車站時，我們完全沒有人說話。準備就緒後，我們去搭纜車。一看纜車外，心情更加鬱悶。因為雪下得很大，根本看不到前面的狀況。

「呃，這已經算是暴風雪了吧。」T女士用沒有感情的語氣說。因為眼前的狀況令她不知所措，所以說話的聲音也變得沒有感情。

「既然纜車沒有停，就代表只是看起來情況很嚴重而已。到了山頂，搞不好就變小了。」

大家聽我這麼說，紛紛點頭。

「一定就是這樣，沒問題，沒問題。」

「如果是暴風雪，纜車早就停駛了。」

「對啊，哈哈哈，哈哈哈哈。」

狹小的纜車內響起了空洞的笑聲。

我們來到滑道。上天並沒有聽到我們的心願，風大雪大，風雪已經不是冷而已，簡直冷得發痛。我從休息站走到戶外，馬上又逃了回來。我以為自己不怕冷，但也完全撐不下去。我衝進商店，想買一條可以圍在脖子上的東西，發現T女士已經買了一條看起來很保暖的圍巾。

「啊！為什麼只買自己的？」

「你不是很喜歡冷嗎？」

「但我不喜歡暴風雪，我也要買圍巾。」

當我們一起走出商店時，S主編噘著嘴說：「怎麼只買自己的？太自私了。」

最後，我們三個人都圍上了相同的圍巾。M主編把毛巾圍在脖子上，雖然可以省錢，但看起來就像魚店的老闆。

我們做好保暖措施後，就準備開始滑雪。這次的教練是松村圭太先生，而且今年只有我一個人上課。去年和我一起上初級課程的S主編則是請M主編指導他滑雪。

我們搭上吊椅纜車，越往山上，風雪越來越大。

松村教練請我先自由滑一下，我像往常一樣滑了起來，中間也轉了幾次彎。松村教練很快就追了上來。

「我瞭解了，你沒有什麼不良姿勢，我覺得很不錯，只是身體的前傾幅度稍微大了些，在轉彎的後半階段，要讓重心往後移。」

啊喲啊喲，因為我怕速度會變慢，所以把重心往前移，但似乎不能一直維持這個姿勢。獨自練習時，絕對不會發現這種缺點，光是這一點，這次請教練就值回票價了。

除此以外，教練還糾正了我另外幾個缺點，然後又學習了新的技巧。「好，

那一次我才體會到滑雪是冬季運動這個理所當然的事實。

OK，沒問題了，你滑得很好。」聽到松村教練這麼說，就格外安心。光靠看書和錄影帶，根本不知道自己的姿勢到底對不對。各位讀者，如果有人想學單板滑雪，我強烈建議一定要請教練。

話說回來，那天的天氣實在太惡劣了。風很大，停下來時根本站不穩。在聽松村教練指導時，我都會坐下來聽。

上完兩個小時的課之後，我去和幾位編輯會合。M主編有一年沒看到我滑雪了，忍不住大吃一驚。

「哇，難以相信你去年才剛開始學滑雪。這真的不是奉承。」

呵呵呵，我知道。雖然我去年才剛開始學，但滑雪的次數很驚人。包括去SAWS的次數在內，總共有好幾十次。

「既然你滑得這麼好，新雪也完全沒問題。我們明天去新雪區。」

「好啊。」

到了第二天，一大早就晴空萬里，但T女士因為工作的關係必須先回東京。我們三個大叔出發去滑雪場。放晴的日子，坐纜車也很舒服。

「T在這麼好的天氣得要趕回東京，心裡一定很不平衡。」我對另外兩個人說。

「我想起之前去鹿澤時好像也一樣，明明是大好天氣，卻必須要回去。」S主編也說，「有人是每逢出行就下雨的雨神，她搞不好是暴風雪神。」

「沒錯沒錯，一定就是這樣，因為暴風雪神回東京了，所以這裡就變好天氣。」

「以後要趁她離開滑雪場時來滑雪。」M主編也加入了陣營。

因為前一天下了很多雪，所以滑雪場內的所有斜坡都是新雪狀態。M主編把我們帶到遠離正規滑道的地方。那裡坡度很陡，幾乎沒有人滑過的痕跡。

「這才是真正的新雪。」M主編說完，往斜坡滑了下去。

好，那我也要試試。我也衝了下去。沒想到平時滑得很順，這一次滑雪板卻無法前進，最後甚至陷進雪地，卡在那裡，身體當然就因為慣性撲倒在地。當我回過神時，整個人都陷進了雪地。我慌忙想要爬出來，反而越陷越深，動彈不得。我往後一看，發現S主編也陷入了相同的困境。

我費了九牛二虎之力掙扎了十幾分鐘，終於滿身是雪地來到M主編面前。

「滑新雪需要一點技巧，嘿嘿嘿。」

M主編看起來心情大好。過了一陣子，S主編告訴我：

「M主編說，因為你進步太神速，他擔心你會太驕傲，所以刻意安排了這個考驗。」

M主編，對你來說，出版業界單板滑雪第一名的地位這麼重要嗎？

我們滑了兩個小時後，天氣越來越詭異，轉眼之間，風雪都變強了，不一會兒，下起了比前一天更大的暴風雪。這下子可不得了，我們慌忙決定結束。

我們正在討論，為什麼會突然下這麼大的雪，突然靈光一閃。

「該不會是T女士到東京了？」

「沒錯，時間剛好差不多。那個女人，她一定覺得自己要工作很不甘心，所以把暴風雪送來這裡。」

三個大叔單板滑雪手在纜車內看著外面，深深體會到女人有多麼可怕。

得到教練的肯定之後，我更積極前往滑雪場，至少每週一次，連我自己都覺得積極得有點異常。通常一大清早開三個小時左右的車子到滑雪場，滑五個小時後，再開三個小時的車子回家，而且十之八九晚上還要去喝酒。大家都很納悶，我到底什麼時候工作，老實說，我自己也搞不太清楚。

為了根本沒人看的隨筆專欄找新鮮的題材，我決定去苗場。我想起去年也去了苗場，只不過上次的雪幾乎都已經融化，結果我們轉戰了神樂．田代滑雪場。

這次的苗場完全不一樣。一方面是因為我們今年去的時間很早，還有很厚的積雪，即使和暴風雪神T女士同行，仍然是萬里無雲的好天氣。

原來是「Yuming的威力太強大了」。我們去苗場的那一天，松任谷由實剛好要在王子飯店舉辦演唱會。

我們盡情地滑，暢快地滑，然後打開滑雪場地圖，發下豪語說要滑遍每一個滑道。

「我們還沒有去過那裡，而且也沒有人，空蕩蕩的。」我在纜車上指著一個斜坡說道。

「好像沒去過，要不要去看看？」T女士說。

於是三個人決定去那裡，一下纜車，就朝向那個斜坡滑了起來。

來到通往那個滑道的岔路時，看到牌子上寫著——

男子迴轉滑道　最大斜度40度。

四、四、四十度！

難怪都沒有人在這裡滑。我心裡有點發毛，但既然已經來了，當然不能退縮。我沿著箭頭的方向繼續走，立刻嚇破了膽。

坡度實在太陡了，簡直懷疑真的有人在這種滑道滑雪嗎？我們低頭往下看，陷入了茫然。

當我不經意抬起頭時，看到纜車從頭上經過，可以隔著窗戶看到裡面的人。他們看到有人站在這片斜坡前，一定好奇我們會怎麼做。我不能在這種地方出糗，絕對不能逃避，只能硬著頭皮衝了。

「哇啊啊啊啊啊～」

大叔單板滑雪手發出分不清是吆喝還是慘叫的聲音，四腳朝天衝了下去。

（二〇〇三年二月）

02.12.13
1日券
Ski Resort MINAKAMI
norm
4 H
02.12. 31 15:20
¥3,300
norm
D 03.01. 12
¥4,200
Chateraise SKI Resort
午後 大人
03.01.14
'03 Naeba
LIFT TICKET
PRINCE HOTEL
02.28
有効期日の17:00まで
KOKUDO
Ski Resort MINAKAMI
norm
D 03.03. 04
¥3,500
KOKUSAI
大人
03.17
1日券
.03
KOKUSAI
大人
03 03 16 16:40
3時間券

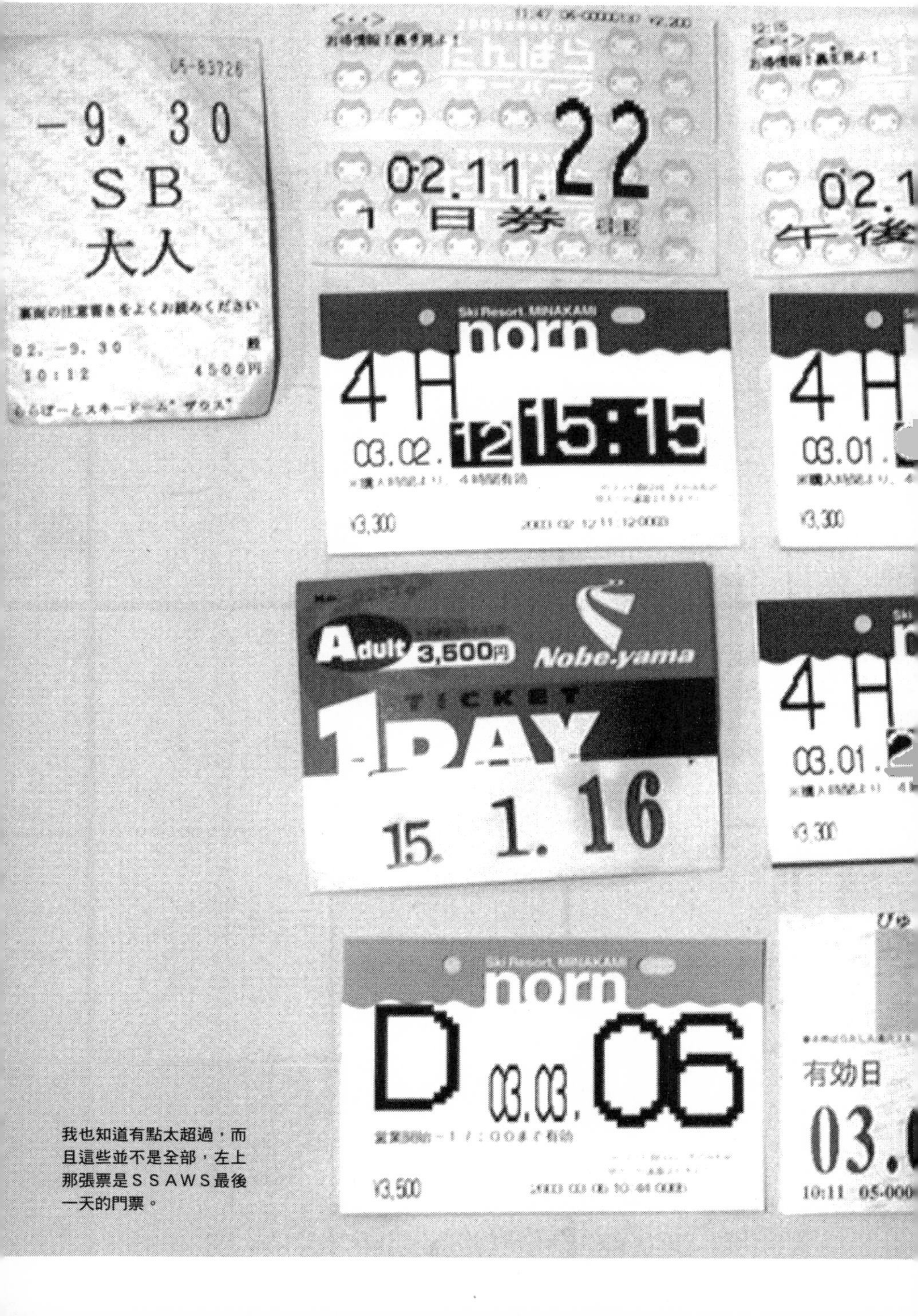

我也知道有點太超過，而且這些並不是全部，左上那張票是ＳＳＡＷＳ最後一天的門票。

ちゃれんじ?

小說〈大叔單板滑雪手〉

益男一邊看報紙，一邊默默吃著早餐。他認為只要露出一臉不悅的表情，妻子就不會沒事找他說話。我相信各位讀者也知道，通常這種小花招在結婚多年的老婆面前根本不管用。

吃完早餐，他收起報紙，拿起放在旁邊椅背上的上衣。

「那我出門了。」他努力讓自己的聲音沒有起伏。這也是他的小伎倆。

「你今天是去哪裡出差？」

「新潟。昨天不是說了嗎？」

「你明天才回來吧？明天會去公司嗎？」

「嗯……如果時間趕得及，應該會去吧。」

益男穿好上衣，走去玄關時穿上了米色大衣。因為他知道，如果動作慢吞吞，妻子會不停地發問。

他穿好皮鞋，拿起放在鞋櫃上的公事包。他的公事包很薄，裡面除了用來偽裝的資料夾和紙筆以外，就只有盥洗用品和內衣褲。因為出差只住一晚，不可能帶太多東西，否則妻子馬上會起疑心。

「那我走了。」

「路上小心。」

益男走出家門，轉過第一個街角時，偷偷做了一個勝利的姿勢。他的心臟現在才開始劇烈跳動。順利瞞過妻子的興奮，和對即將迎接夢幻時光的期待，讓他的心情激動起來。

雖然他以為自己成功瞞過了妻子，但其實妻子已經發現他不太對勁，所以打算晚一點打電話去他公司。到時候他的謊言就會被拆穿，只是他現在還不知道會發生這種事，所以沉浸在幸福之中。

他換了電車，在離八點還有十分鐘時抵達了東京車站，從西裝內側口袋拿出上越新幹線的車票走向月台。

月台上有很多年輕人，幾乎所有人都帶著滑雪板，也有不少像益男一樣的上班族。

益男看著指定席車票走進了商務車廂。他出差時當然不會搭商務車廂，就連全家去旅行時，也從來沒有搭過商務車廂，而且這幾年一家人也不曾去旅行過。

他確認了好幾次座位號碼後坐了下來。商務車廂內沒什麼人。去滑雪的年輕人不會把錢花在這種地方。

益男看著手錶，忍不住緊張起來。如果她還不來，新幹線就要開走了。還是她臨時決定不去了？他內心產生了不祥的預感。

預告即將發車的廣播響起，益男忍不住站了起來。這時，他隔著車窗看到了翠里的身影。她背著裝了滑雪板的袋子小跑著過來。

益男對她揮著雙手，她似乎也發現了益男，嫣然一笑，走向車門。

益男看到翠里走進車廂，才終於鬆了一口氣。列車立刻出發了。

「我剛才很擔心，還以為妳臨時有什麼事不能來了……」

「對不起，我睡過頭了。昨天客人一直賴著不走，所以我才睡了三個小時。」

「那真是累壞妳了。」益男附和著。既然她已經來了，不管睡眠充不充足都不是問題，只不過他看到翠里穿著牛仔褲，心裡有點不滿。因為平時在店裡看到她時，她總是穿超短的迷你裙，原本很期待今天可以好好欣賞她的一雙美腿。

「聽說今年的雪積得很厚，我超期待。」坐在他身旁的翠里興奮地說。

益男點頭附和著，但內心有點不安。因為他還沒有決定等一下她去滑雪時，自己要去哪裡消磨時間。

翠里是銀座一家酒店的坐檯小姐，臉只有巴掌大，但胸部很豐滿，一雙大眼睛配櫻桃小嘴。她在益男經常招待客戶的酒店上班，他每個月都會自己花錢去消費一次，每次結帳時看到帳單上的金額，心臟幾乎停止跳動，但他仍然照去不誤。可見他對翠里已經如癡如醉。

益男是五十歲的上班族，讀高中的女兒幾乎不和他說話，他又懶得理妻子。這個平凡的中年男雖然不胖，肚子卻不小。體重和年輕時沒有太大的差別，所以他自己也沒注意，但體脂肪是二十年前的一倍。至於頭髮，到了這個年紀，當然無法再像年輕時那樣，只不過如果仔細梳整齊，可能就會有人形容為條碼頭。他自己倒是覺得沒有太大的問題，但並沒有察覺已經從原本的三七分漸漸發展成二八分，最近幾乎已經接近一九分了。

益男的夢想就是和心儀的翠里一起去溫泉旅行。從認識她的那天起，就鍥而不捨地約她。

「我們去溫泉旅行嘛。妳不是說，妳喜歡泡溫泉嗎？」

沒有女生會願意接受他的邀請，甚至可以說絕對沒有。因為如果坐檯小姐把客人的邀請當真，根本應付不過來，所以翠里每次都用各種理由婉拒。重要的是顧左右而言他，委婉地拒絕，不要惹客人不高興。一旦惹惱客人，可就得不償失了。這些小姐正因為很懂得拿捏其中的分寸，才能夠在銀座這種地方生存。

沒想到這一次，翠里的反應竟然和平時不一樣。

「嗯，既然你這麼有誠意，那我可以陪你去一次。」

翠里的反應讓益男一度以為自己聽錯了。

「去、去、去啊，那我們去啊。妳覺得去哪裡比較好？妳想去哪裡的溫泉？」益男迫不及待地問。

「嗯，但是只泡溫泉太無聊了，我還想玩單板滑雪。」

「滑雪？」

「嗯，我今年都還沒去滑過雪，接下來也沒有去滑雪的計畫，所以如果可以趁去泡溫泉時順便滑雪就好了。」

單板滑雪就是站在板子上，在雪地上滑來滑去嗎？——益男對單板滑雪的瞭解僅止於此，但這種事根本不重要，重要的是翠里答應和他一起去泡溫泉。

「好啊，好啊，妳可以去滑雪，所以嘛，我們一起去溫泉。」

益男流著口水，激動地和翠里討論起溫泉旅行的事。

他們在越後湯澤車站下了車，周圍幾乎都是滑雪客，大部分上班族都在高崎車站下了車。益男完全沒有發現，整個月台上就只有他一個上班族，因為他的眼中只有翠里。當他看到翠里拿起看起來很重的滑雪板時，也對她說：

「給我吧，我幫妳拿。」

他穿著米色上班族大衣，把公事包夾在左側腋下，騰出來的右手拎著滑雪板的樣子很奇怪，但他根本無暇思考，而且做夢也沒有想到，在他幾公尺後方有一個名叫東野某某的作家和同行的編輯有以下的對話。

「哇，那是怎麼回事？高中，那個大叔手上拿的是單板滑雪板吧？」

「嗯，的確是，看起來不像是細長形的行李袋，一看就知道是滑雪板，而且是單板滑雪板。」

「沒錯吧？原來還有比我更老的大叔玩單板滑雪。」

「不不不，你再仔細看，他旁邊有一個很妖嬈的女人，一看就知道是酒店小姐。那個大叔是和酒店小姐一起來旅行。」

「喔喔喔，既然鈴木主編這麼說，就絕對不會錯。原來如此，他八成騙太太說要出差，結果帶年輕妹妹來溫泉旅行，真是可惡啊。話說回來，我有點羨慕他。」

益男和翠里在越後湯車站搭了接駁巴士來到N場滑雪場。他們今天晚上就住在滑雪場旁的P飯店。雖然益男很希望在溫泉旅館和翠里翻雲覆雨，但翠里堅持一定要住這裡。

去櫃檯準備辦理入住手續時，櫃檯人員告訴他們，要三點才能入住，在此之前無法進房間。滑雪客都先去更衣室換衣服後，把行李寄放在櫃檯。

「那我也先去滑一下。益男，你在這裡等我。」

「好。」

益男只能答應。因為他連雙板滑雪都不會。

翠里換了一身鮮紅色滑雪服，抱著鮮紅色滑雪板跑去滑雪場。益男目送她的背影離去後，去飯店的酒吧喝咖啡。他不經意地巡視周圍，發現幾乎所有人都穿著滑雪服，只有他一個人穿著西裝，手上還抱著上班族穿的大衣。

益男在那裡坐了兩個多小時，滿肚子都是咖啡。中午過後，翠里終於回來了。

「啊，累死了，但是好痛快啊。」翠里露出燦爛的笑容。

益男很想抱怨幾句。為什麼自己要在這種地方等那麼久！但他當然沒有說出口，因為一旦把翠里惹火了，可就賠了夫人又折兵。

「是嗎？那真是太好了。」益男告訴自己，在達到目的之前必須忍耐。

他們決定去可以眺望滑雪場的餐廳一起吃午餐。一身鮮紅滑雪服的年輕女生和一個身穿西裝的中年大叔坐在一起，無論怎麼看都很可疑。益男這時終於開始擔心其他人是不是用奇怪的眼神看自己。雖然他太晚想到這件事，但也證明他有多興奮。

「妳等一下還要滑多久？」益男戰戰兢兢地問。

「嗯，現在還不知道。」

「妳滑得差不多了，妳剛才不是說很累嗎？」

「你在說什麼啊，才剛開始而已，好不容易才暖完身，還沒有正式開始滑呢。」

「那要不要在辦理入住之前先休息一下？一下子太累容易受傷，等辦理完入住手續，就可以進房間了。」

一旦進了房間，就逃不出我的手掌心了。益男暗自想道。

「不是要三點才能入住嗎？還有一個多小時，休息這麼長時間太可惜了。益男，等辦完入住手續後，你先去房間休息，我滑夠了之後就打電話給你，到時候你再告訴我房間號碼。」

「嗯，這樣啊，那好吧。」

因為她說的話合情合理，所以益男也無法反駁。吃完午餐後，翠里又匆匆去了滑雪場。

益男無可奈何地走進餐廳旁的商店，那不像是禮品店，更像是便利商店。

他看到黃帝液的瓶子，雙眼立刻亮了起來。今晚要應付年輕的翠里，他覺得最好增加一點體力，於是拿起兩瓶走向收銀台，走到一半又折返回來，再多拿了一瓶。

終於到三點了，他辦理完入住手續，一進房間就感到失望不已。雖然他事先就知道只有兩張單人床的房間，但那張床也未免太小了，這樣根本沒辦法在床上玩很多花樣。

他脫下西裝，換上了飯店準備的浴衣。他打開電視，但沒有什麼好看的節目。來到這種地方，必須靠看電視打發時間這件事就很空虛。

對了，既然來到溫泉飯店，當然要去泡泡溫泉。於是益男穿著浴衣走出房間。剛才在辦理入住手續時，櫃檯人員告訴他，這裡有露天浴池。

他來到一樓，在走廊上走了一段路，看到了「露天浴池→」的標識。他沿著箭頭的方向一直走，但走了很久都沒有看到浴池，反而看到了通往滑雪場的咖啡屋，經過咖啡屋時，冷得他渾身發抖。和他擦身而過的滑雪客都紛紛瞪大了眼睛。

其實露天浴池在新館最角落的位置，像益男一樣住在本館的客人必須沿著通道走很長一段路才能泡溫泉。因為他事先沒有看館內設施的示意圖，所以當然不知道這件事。

益男咬牙繼續往前走。既然已經到這裡，無論如何都要泡溫泉，今天非泡不可。他穿越遊戲場，走過一群滑雪滑累了，正在吃漢堡的年輕人身旁，終於來到了露天浴池。

他在浴池內伸展手腳，終於親身體會到自己來到了溫泉地。再忍耐一下，翠里就回來了，到時候——他內心充滿了期待。

益男比平時更仔細洗了全身，還刮了鬍子，用吹風機把稀疏的頭髮吹整齊後，拿起放在洗手台旁的古龍水擦在腋下。他情不自禁哼起了歌。

他心情愉快地離開溫泉，但又要走一大段路回房間。當他回到房間時，身體已經冷到骨子裡，只好在房間裡又泡了澡。

泡完澡後，他喝了兩瓶黃帝液。因為他覺得如果不早點喝，就無法發揮效果。正當他在思考，要不要為了以防萬一多喝一瓶時，手機響了。是翠里打來的。

『對不起，我滑得太開心了，沒想到已經這麼晚了。』

「已經六點了。」

『對啊，差不多是晚餐時間了。晚餐券在你手上吧？那我直接去餐廳，你也趕快過來。』

「妳要不要先回房間，我在2323室。」

『這樣太浪費時間了，那就一會兒見。』說完，她掛上了電話。

這麼早就吃晚餐嗎？雖然他這麼想，但又轉念一想，這意味著夜晚的時間很長。他稍微想了一下，喝下第三瓶黃帝液，換上西裝後走去餐廳。

翠里在餐廳門口等他，仍然穿著那套鮮紅色的滑雪服。

「妳沒有換衣服嗎？」

「對，懶得換。」她吐著舌頭。

益男覺得毫無情趣，但還是沒有抱怨。因為他很快就要實現夢想了。

餐廳面對滑雪場，他們坐在窗邊的座位，吃著日本料理的套餐。滑雪場內亮起了燈，夜場客人的黑影在場內穿梭。

「晚餐也吃完了，我們回房間吧。」他拿起鑰匙站了起來。

但翠里沒有跟著站起來，她低著頭，一動也不動。

「嗯？怎麼了？」

這時，她突然在臉前合起雙手說：

「拜託，再讓我去滑一下。」

「啊？」益男瞪大了眼睛，「妳還要去滑？」

「這應該是我今年唯一的一次滑雪，所以我想滑個痛快。」

「但妳不是已經滑了很久了嗎？」

「再一下下就好。」

益男忍不住低吟，他很想發脾氣，但翠里小聲嘀咕起來。

「我知道我很任性，你帶我來這裡，卻把你一個人丟在那裡，我真的很過分。對不起，我沒資格讓你帶我來這裡。」

翠里說著說著哭了起來。

「啊，沒有啦，沒這回事，沒這回事，我只是擔心妳太累，身體會出問題。如果妳覺得沒問題，我當然沒問題。妳就盡情地滑吧。」

「真的嗎？」翠里抬起頭，但益男並沒有發現她的眼中完全沒有眼淚。

「對，沒問題，但妳不要太累了。」

「嗯，我知道。」翠里跳了起來。

於是，益男又獨自在房間空等，但這次只要等到滑雪場夜場時間結束就好，所以並不會太痛苦，而且想像等她回來之後的事，反而可以更加興奮。黃帝液，一定要好好發揮作用。他對著自己的褲襠喊話。

夜場時間到九點為止，但翠里九點半還沒有回來，一直到十點也沒有聯絡。快十一點的時候，才終於聽到有人按門鈴。

「妳到底——」益男一打開門就罵道，但他看到翠里的樣子，所以沒有說下去。她頭上包著繃帶。

「翠里，這是……」

「真倒楣，竟然被人撞到了。」

「被人撞到？」

「我只是在把固定器綁緊而已，那個人就撞了過來……我剛才一直在員工休息室接受治療。」翠里一瘸一拐地走了進來。

「傷、傷、傷勢有沒有很嚴重？」

「只是擦傷而已，但今天晚上要好好休息，而且頭上還撞了一個包，唉，真是太倒楣了。」

翠里已經換了運動衣和牛仔褲，她穿著這身衣服直接倒在床上。

「妳為什麼沒有和我聯絡？」

「因為我不想把你捲進來，萬一事情鬧大，不是會影響到你嗎？」

益男只能閉嘴。翠里說的沒錯。這次是外遇旅行。

「我沒有告訴任何人，所以你可以放心。」

「翠里……」

「那我先睡了。傷勢並沒有很嚴重，你不必擔心。晚安。」

翠里轉過身，背對著益男，拉著毛毯蓋住了肩膀。

益男一臉茫然。這到底是怎麼回事？讓自己等了半天，結果完全沒戲唱就睡覺嗎？怎麼會有這麼殘酷的事？太荒唐了。

益男走到她的床邊，緊張地伸出手，把手放在她肩上。

「翠里。」他叫了一聲。

「啊，好痛好痛好痛，好痛好痛好痛。」翠里突然大叫起來。

「哇，妳怎麼了？哪裡痛？」

「全身都痛。救護員剛才說，今天晚上可能會全身都痛，所以叫我要好好休息，不要輕易碰身體。啊啊啊，好痛啊，好痛啊。痛死了，痛死我了，啊，怎麼辦啊？」

既然翠里這麼說，益男當然不敢再碰她。他無可奈何地躺回自己的床上。

怎麼會有這種事？怎麼會有這種事？這趟旅行到底所為何來？完全沒搞頭嗎？忍耐了半天，完全沒搞頭嗎？怎麼會有這種事？——各種不滿、苦惱、後悔和疑問在他腦海中翻騰，他完全無法接受。

這也不能怪他，因為他以為可以和翠里上床，所以一直忍耐到現在，但現在連一根手指都不能碰，也未免太沒道理。

但相信各位讀者也知道，劇本原本就是這樣。寫劇本的當然是翠里。她根本不想和益男有深入的關係，只是想滑雪而已，如果可以同時唬弄一下整天糾纏不清，約自己去溫泉旅行的客人，簡直就是一石二鳥。

她受傷的事當然是假的，只是用事先準備的繃帶把腦袋包起來而已，而且她看透了益男沒有膽量霸王硬上弓。

可憐的益男只能看著翠里的後背，不知道是否因為喝了三瓶黃帝液的關係，他的下體堅硬無比。他只能蓋著毛毯，用力握住下體，完全沒有一絲睡意。

黎明時分，他才終於昏昏入睡。然後被電話鈴聲吵醒了。他接起電話，聽到飯店人員的聲音。

『不好意思，已經過了退房的時間。』

益男驚訝地一看手錶，已經十點三十幾分了，而且原本躺在隔壁床上的翠里不見了，她的行李也消失了。

『喂，先生？』

「翠里呢？不，和我一起來的人呢？」

『啊？』

「不，沒事，我馬上退房。」

益男走向翠里昨晚睡的那張床，發現枕頭上有一張紙條。

『受傷的地方很痛，我去醫院。原本想叫醒你，但看你睡得很香，叫醒你太可憐了，所以就讓你繼續睡。謝謝你，真的很開心。回東京後，記得再來店裡喝酒喔。翠里』。他打開衣櫃，摸著上衣口袋，原本放在裡面的回程新幹線票少了一張。

下午兩點，益男出現在東京車站，他剛從新潟到東京的列車中走出來。他仍然茫然若失，看不到周圍的東西，也完全無法思考，覺得自己好像遭遇了天大的不幸。但是，他並不知道，真正的悲劇正要開始。

比方說，他完全不會想到，等一下去公司，就會有人告訴他，他的妻子曾經打電話到公司，也無法想像妻子會用什麼方法制裁他。

而且，傷心中的益男做夢也不會想到，作家東野某某和他的編輯剛好和他搭同一班新幹線，而且還有以下這番對話。

「啊，那個大叔今天是一個人。發生什麼事了？」

「哈哈，一定是被甩了，那個女生逃走了。」

「是嗎？那太可憐了，嘻嘻嘻。」

「東野先生，要不要寫一篇？題目就叫『大叔單板滑雪手』，怎麼樣？」

「喔，好主意，下個月的文章就是它了。」

ちゃれんじ？

下一個目標是高爾夫？

不知道為什麼，這些隨筆竟然變成了連載。雖然一開始我只是想告訴大家，我迷上了單板滑雪而已。

回想起來，二〇〇三年的滑雪季實在太充實了。一方面是因為各地的降雪很豐沛，十一月中旬之後，幾乎每週都去滑雪場，總共去了將近三十次，我自認為滑雪技術也大有進展。

不知道是否因為我四處宣傳單板滑雪的樂趣，滑雪季後半段時，有不少編輯說他們也想玩單板滑雪。K川書店的E編和A編就是其中之二，他們不停地邀我一起同行，而且說想去北海道。

「滑雪當然要去北海道啊，那裡的食物又好吃，還可以泡溫泉。」稍微資深的E編說。

「但你們會單板滑雪嗎？以前有玩過嗎？」

「玩過一次。」E編說。

「我也只玩過一次，基本的轉彎應該沒問題。」A編也摩拳擦掌。

「既然這樣，應該沒問題。E編，你之前說自己雙板滑雪很拿手，萬一不行的話，只要再換雙板就好……」

於是，我就放心地和他們一起前往北海道，沒想到這是錯誤的開始。因為我忘了這兩個人是出了名的唬爛雙人檔。

來到滑雪場，他們穿上滑雪板後根本站不起來，也就是說，我必須從頭開始教他們。我們搭札幌國際滑雪場的纜車來到山上，卻花了三個小時才下來。不是我在吹牛，如果是我一個人，那段距離只要五分鐘就可以滑下來，真是被他們打敗了。

我覺得這樣下去不行，隔天下午之後，讓E編用雙板滑雪。據本人的吹噓，他對併腿轉向（高級技術）也駕輕就熟。我知道他在吹牛，但原本他只是添油加醋，技術不至於太差，沒想到我又大錯特錯。不要說是併腿轉向，他連八字轉向（滑雪最初步的技術）也都不太能搞定。

可能特地跑去北海道，結果只是滿身是雪，什麼都沒滑到這件事讓這兩位編輯感到懊惱不已，他們說一定會認真學單板滑雪，懇求我可以教他們。雖然時序已經進入四月，但我仍然每個星期都去滑雪場，所以就決定帶他們同行。我原本以為他們一定撐不了多久，但他們幾乎每個星期都跟我一起去。皇天不負有心人，經過一段時間的努力，他們總算有模有樣，而且迫不及待地希望下一個滑雪季趕快到來。據說他們到時候打算買滑雪板和雪鞋，等滑雪季一開始，就準備衝向雪山，似乎想靠這一招吸引女生。雖然動機不純，但我對單板滑雪教的信徒增加這件事感到欣慰。

順便和各位讀者分享一下A編的夢想——

「我希望明年的二月或三月可以開自己的車子，車上放著自己的滑雪板，和女朋友一起去滑雪場，然後教女朋友滑雪。」

A編，加油囉。但是，想要實現這個夢想，首先要去買車，還要買滑雪板，精進自己單板滑雪的技巧，最重要的是，要找到女朋友。嗯，感覺這個夢想很遙遠。

K談社的S編也有和A編相同的夢想。他也是我的單板滑雪學生之一，學生時代曾經打過棒球的S編運動神經很發達，體力也比E編和A編好多了，而且年紀更輕，也很有膽量，即使遇到陡坡，也毫不畏懼地往下衝，所以他在我的學生中進步最神速。

而且，S編已經買了自己的滑雪板和雪鞋，光憑這一點，就超越了A編一大步。最大的優勢就是S編已經有女朋友了，滑雪技巧進步神速的S編目前只缺自己的車子而已。A編，至少要搶在S編之前買車！

雖然和我一起滑雪的同好增加了，但仍然必須面對隨著季節的改變，積雪慢慢消失這個現實。進入五月之後，滑雪場紛紛暫時結束營業，在我寫這篇稿子時，只剩下特殊的兩、三個滑雪場持續營業。對我來說，五月二十日去神樂·三俣滑雪場的那場滑雪成為這個滑雪季的最後一次。

SSAWS歇業之後，在淡季滑雪幾乎已經成為不可能的任務。不，其實也不是完全不可能。如果想要挑戰半管，有好幾個室內練習場，但我還沒有對半管出手，不，應該說是還沒有涉足。想要挑戰半管滑雪需要相當大的勇氣。還有另一種方法，就是離開日本。如果去紐西蘭，即使七、八月仍然可以享受滑雪樂趣。在這個隨筆連載中多次提到的作家黑田研二，也就是變態男黑研，去年就去紐西蘭學割雪滑行。但我不太會英文，應該說是完全不會英文，就會覺得與其去陌生的國外，還不如忍受半管滑雪的恐懼。因為這些原因，所以目前在淡季無法安排滑雪行程。

我隨口提到暫時不滑雪了，結果有好幾位編輯不知道從哪裡聽說了這件事，紛紛邀我投入其他運動。他們都提議同一項運動，那就是打高爾夫。

「你可以試試打高爾夫，打高爾夫球很開心，無論你想去哪個球場都沒問題。你考慮一下高爾夫嘛，好不好？好不好？」

幾乎每個編輯都這麼說，我猜想應該是所謂的應酬，我當然知道他們是想借這個名義，就可以名正言順花公司的錢打高爾夫。

我經常對這件事感到很不滿，所謂應酬，照理說不是應該陪對方做對方喜歡的事嗎？比方說，想要找目前主宰推理界的大澤事務所談生意，如果不打高爾夫，一切都免談，這已經是業界的常識。最近某電視台的製作人，想要獲得大澤事務所旗下一名超紅女作家作品的版權授權，拍成電視劇，被鬍子臉的高階主管威脅說：「先打場高爾夫再說。」結果慌忙開始去練習場練球。這才是應酬啊。所以，如果編輯要花公款招待我，應該邀我去滑雪，怎麼變成他們想要招待我，結果要我配合他們的喜好？這根本搞錯了吧。

話說回來，我也沒必要這麼死腦筋，而且我的確在尋找可以代替滑雪的運動，所以就把高爾夫也列入候選名單之一。

其實我並不是沒有碰過高爾夫，十幾年前，我曾經跟著教練學過，也曾經去球場打過幾次球，分數也有好幾次低於大致標準的100。

有幾個原因讓我無法堅持。因為泡沫經濟崩潰，那些朋友不再打高爾夫，和打球的費用原本就太貴了，但我最討厭的就是球場方面總是莫名其妙地擺出一副囂張的態度，每次看了就很不爽，也無法理解必須付桿弟小費這種不成文的規定。

「現在已經沒這種情況了，打球的費用也降低了，因為球場要努力維持經營，完全不會擺出囂張的態度。」

很多人都這麼對我說，所以八成是這樣，我也有點動了心，覺得打高爾夫球好像也不錯，但想到一件事之後，再度打消了這個念頭。

這件事就是關於高爾夫服裝。

為什麼高爾夫的服裝會那麼醜？簡直醜得讓人想要說，幹嘛要這麼糟蹋自己？

前面提到的K談社的S編因為工作的關係，必須去打高爾夫球。於是我問他，去打球時都穿什麼衣服？他一臉憂鬱的表情回答說：

「這個……反正就是那種打扮啊，穿上奇怪的POLO衫，下面穿長褲。」

必須穿自己覺得很奇怪的衣服從事的運動，根本不可能樂在其中。S編也說，如果不是因為工作的關係，他絕對不想打高爾夫球，而且很想把那件奇怪的POLO衫丟掉，還說絕對不希望女朋友看到自己穿那件POLO衫的樣子。

我可以斷言，高爾夫球無法吸引年輕人的最大原因，就是服裝問題。這件事「縮小了高爾夫人口的範圍」。

「但和以前相比，現在已經好很多了，老虎伍茲不是很帥嗎？」

我相信很多人會這麼說。老虎伍茲帥是因為他本人就帥，他穿的衣服絕對不帥，如果他穿其他衣服，八成會更帥。

我稍微調查了一下，發現即使縱觀全世界的高爾夫球界，日本人的高爾夫服裝還是奇醜無比。有人總結了以下的特徵。

・高爾夫球服裝上印著電影角色圖案。

· 經常有品牌標誌。
· 喜歡金色或鑲金銀線。
· 喜歡中間色的搭配。

看了之後，就覺得恍然大悟，的確很多人都穿這樣的衣服打球。穿這種衣服的人聚集在一起的高爾夫球場，就讓人覺得是一個很土的地方。

高爾夫的服裝有相關的規定，根據我的調查，似乎有以下的規定。

· 上衣必須有領子，而且衣服要紮在褲子內。可以在外面穿防寒的衣服。
· 必須穿長褲，但不可穿牛仔褲。如果要穿短褲，必須穿長襪。

如果不喜歡POLO衫，似乎也可以穿高領毛衣，但我這個人超怕熱，平時也不會穿高領的衣服，在需要穿高領的寒冷季節要去滑雪。

既然有這樣的規定，打高爾夫球的人恐怕也只能穿那麼醜的衣服，我猜想其中一定有人努力追求自己的時尚。

為什麼會有那種規定？是因為這是紳士的運動嗎？但那種打扮，完全沒有紳士的氣派啊。

也許這是計謀。我剛才說這種服裝規定「縮小了高爾夫人口的範圍」，但很可能目的就在於此。如果可以自由穿各種服裝，高爾夫球場也許就會被衣著自由的年輕人霸占，那些老頭就被擠出球場了。

高爾夫服裝也許是為了避免年輕人占領聖域的屏障，這麼一想，就覺得很合理了。

但我還是不想穿醜醜的ＰＯＬＯ衫，所以也就得出了結論，高爾夫取代滑雪的可能性相當低。

（二〇〇三年五月）

ちゃれんじ?

我去了月山！

我正在努力尋找滑雪淡季時可以從事的運動，於是就產生了一個問題，從什麼時候開始算淡季？現在算是淡季嗎？我在上一篇文章中提到，如果挑戰半管滑雪，有室內的場地可以練習，由此可見，所謂的淡季應該是指無法在戶外滑雪的時期。

我寫這篇廢文的時間是六月中旬，通常認為這個季節，絕對不可能在國內滑雪，但其實並非如此，那就是滑雪愛好者幾乎都知道的月山。月山是山形縣內一座海拔1984公尺的山，和湯殿山、羽黑山一起被稱為出羽三山，因為降雪量很豐沛，所以和往年一樣，四月中旬就開始營業，簡直是一個異次元區域。

我應該是在讀高中時第一次聽到月山這個地名，和滑雪完全無關，而是當時芥川賞的得獎作品題目就是《月山》，作者是森敦。當時我對閱讀還沒有產生興趣，但國文老師在上課時介紹了這本書，所以有模糊的印象。我記得當時老師介紹說，芥川賞的得獎者大部分都是年輕作家，但森敦是一位老先生。我的國文成績很差，而且也幾乎聽不懂老師上課在說什麼，但過了這麼多年，竟然還記得這件事，實在太有趣了。

我也是在學生時代知道月山在夏天也可以滑雪這件事，只是當時並沒有興趣。因為那時候我只是一個每年可以滑個兩、三次雪，就感到很滿足的雙板滑雪客。

直到去年，我再度對月山產生了興趣。雖然學會了單板滑雪，但各地的積雪很快就融化這件事讓我感到寂寞不已，和我交情不錯的T女士告訴我，還有地方可以滑雪。

只不過當時我並沒有去，因為那時候還有SSAWS可去，而且也聽說月山雖然可以滑雪，但那裡都是沾了很多泥土的髒雪。去年月山的降雪量似乎不太充足。

今年各地的積雪量都很豐富，月山應該也一樣，我覺得沒理由不去，於是就和T女士討論了這件事。

「是啊，我也覺得既然已經走到這一步，就必須征服那裡。」

草原和雪山出現在同一個畫面很奇怪。我們不發一語地爬上斜坡。來這裡的人幾乎都是滑雪中毒者。

T女士雙眼發亮地說。她說的「既然已經走到這一步」是什麼意思？是指陪我一起滑雪嗎？

T女士立刻和S主編討論，S主編也二話不說答應了。於是，我們三個人就在大家準備進入夏季時飛往山形縣。

我像往常一樣，先把滑雪板和雪鞋寄去滑雪場，沒想到櫃檯的大嬸瞪大了眼睛。因為我從冬天到春天期間，曾經多次來這裡寄滑雪用品，她一定覺得我瘋了。

我們搭機抵達庄內機場

後，坐S主編租的車前往飯店。這次的飯店就在滑雪場旁邊。

從庄內機場到月山大約一個小時的車程，但在高速公路必須一路飆車，而且在普通道路行駛時也要開得很快。不，即使自己不想開快車，也會被逼得開快車。為什麼山形縣的人開車都那麼快？北海道的開車族也一樣，是因為移動距離很長，所以會不知不覺開快車嗎？S主編不時把車子停在路旁，讓後方的車輛超車。我認為這是聰明之舉。

在感受海拔漸漸升高的同時，也發現了遠處山上的白色積雪。我們忍不住喔喔地歡呼起來。

「果然還有積雪，看來真的沒騙人。」

「是喔，如果是騙人就慘了。哪一座是月山？」

「主編，你開車要看前面。」

我們吵吵鬧鬧，車子沿著狹窄的山路上山。過了志津溫泉後，距離就不遠了。

在寫著「月山滑雪場」的招牌處轉彎，我們立刻大驚失色。因為路旁停滿了車子。一看車牌，除了青森、宮城這些東北地區的車牌，還有習志野、多摩的車牌。全國各地的滑雪愛好者果然都來了，從千葉和東京開車來的滑雪客簡直太猛了。

來到小木屋，我們決定立刻換裝，在換衣服之前稍微猶豫了一下，因為不知道該穿什麼衣服。雖然帶了滑雪服，只不過氣候明顯是夏天。從小木屋向外張望，發現很多人都穿T恤，但這些穿短袖T恤的人大部分都是雙板滑雪手，容易跌倒的單板滑雪手即使穿T恤，也都穿長袖。

S主編說要穿長袖T恤，T女士穿運動衣，她甚至沒帶滑雪服。

我猶豫了半天，決定挑戰短袖T恤，因為我根本沒有長袖T恤。但不穿滑雪服還是有點不安，所以決定把滑雪服捲起後綁在腰上。針織帽實在太熱了，所以戴了一頂GAP的帽子，沒想到T女士也戴了一頂相同的帽子，看起來像是上了年紀（我這麼寫，T女士一定會很生氣）的情侶戴情侶帽，讓人有點尷尬。

S主編戴了冬天的針織帽，拚命叫著：

「哇，熱死了，失策失策，我完全沒有想到帽子的問題。」

他沒有想到的不光是帽子的問題，洗澡時才知道，雖然早就知道這次住小木屋，但他竟然沒有帶毛巾和任何盥洗用品。他可能認定和作家一起旅行，必定是豪華旅行。S主編，這樣不行喔。

準備就緒，終於出發了。聽說從小木屋到滑雪場走路只要五分鐘，走出小木屋沒多久，的確看到前方出現了白雪，踩在雪上沙沙的感覺令人興奮，更驚訝的是，這裡的雪質比四月下旬春季滑雪更棒。

但好心情到此為止，三個人很快就說不出話了。因為沿著積雪的斜坡走了很久很久，仍然沒有看到纜車站。真希望小木屋老闆說清楚，走路到滑雪場只要五分鐘，但走到纜車站要二十分鐘。

好不容易來到纜車站，三個人已經氣喘吁吁了。我們喝了果汁，先休息再說。我的短袖T恤已經溼透了。

事後才知道，那一帶是自然保護區域，所以無法隨便建造纜車。雖然有點痛苦，但也情有可原，這個季節還能滑雪就很幸福了。

休息結束後，我們終於搭上了吊椅纜車。纜車站周圍已經沒有雪，滑雪客都必須抱著滑雪板坐上吊椅纜車。吊椅纜車的椅子上裝了一個可以放滑雪板的小架子。這是我第一次這樣坐纜車，很擔心滑雪板會掉下去。搭了幾次之後，這種不安也漸漸消失了，但直到隔天才知道，那只是自己太樂觀了。

坐在纜車上放眼望去，周圍一片白色。原本擔心有些地方的積雪已經融化，但看起來並沒有這種情況，難以相信這是六月的景象。

但並不是只有好消息。占據整個滑雪場一大半面積的大斜坡全都凹凸不平。凹凸不平是單板滑雪的天敵，難怪這裡有超過半數都是雙板滑雪客。

下纜車的地方沒有雪，山上休息站周圍不像是滑雪場，反而有點像夏天的露營場，更驚訝的是真的有一群人在那裡烤肉，也有人煮了開水吃泡麵。

於是，我們又抱著滑雪板走去有積雪的地方。對四十好幾的人來說，這段路程太辛苦了，但巡視周圍，發現有不少滑雪客年紀比我更大，看來大家都很拚命啊。

好不容易走到斜坡的半山腰，想要繼續上山的人，要再走一段路去坐T-Bar。T-Bar很難坐，要把T字形的鐵桿夾在兩腿之間，然後拉著纜繩往上滑。雙板滑雪手可能沒問題，但我很好奇側著身體滑雪的單板滑雪手要怎麼搭T-Bar，結果發現幾乎都是雙板滑雪客，等了很久，終於有一個單板滑雪手勇敢挑戰。他苦戰了半天，但因為無法把T-Bar夾在兩腿之間，所以幾乎只能靠腕力支撐身體。

「東野先生，你也可以去挑戰一下。」

T女士笑著說，但無論怎麼看，都覺得自己沒那個能耐，而且爬到搭T-Bar的地方就累死人了，於是這次就作罷了，而且搭T-Bar上升的距離也只有一小段而已。

於是我們前往單板滑雪客聚集的滑道，但那裡也不輕鬆。雖然斜坡並不大，但因為沒有整地，所以到處都是凹凹凸凸的饅頭山，而且距離又很長，只滑了一次，大腿就痠得快抽筋，上氣不接下氣。

我們每滑兩次，就休息很長一段時間。在重複了幾次這種很弱的玩法後，我們認為既然已經來了，就去挑戰一下那個凹凸不平的饅頭山大斜坡。挑戰饅頭山是我開始玩單板滑雪以來的課題，我決定發揮到目前為止的練習成果。

但是，月山的饅頭山太可怕了，無論滑到哪裡、滑多久，都一直是凹凸起伏、起伏凹凸。我的下半身被前後左右、四面八方、無窮無盡凹凸起伏的饅頭震得快散了，到終點時，已經搞不清楚自己是滑下來還是跌下來，完全無法發揮練習的成果，只看到悲慘的現實。

挑戰饅頭山奪走了我們最後的體力，於是決定結束這一天的行程。

隔天，我們汲取了教訓。首先在爬坡時放慢速度，以免耗費體力。然後就是纜車票的問題。這次我們沒有買全天票，而是買回數票。因為我們從前一天的經驗瞭解到，考慮到體力的問題，買回數票就足夠了。

沒想到買回數票這件事在奇怪的細節上發生了問題。搭上吊椅纜車時，想把回數票放回口袋，滑雪板一離開手，就立刻掉了下去。

應該有不少人在搭纜車時，不小心把手套或是滑雪護目鏡掉下去，恐怕很少有人會掉滑雪板。

幸好下方沒有人，而且也沒有積雪，只有一片叢生的雜草。掉落的滑雪板撞到地面時，發砰的巨大聲音，然後落在草叢中。看到這一幕時，我忍不住心想：原來滑雪板這麼堅固。但下一剎那立刻慌了起來。因為滑雪板雖然漂亮落地，但接著開始滑了起來。

原來滑雪板在草地上也照滑不誤。

現在不是輕鬆體會這種感想的時候。我真的慌了神。

滑雪板不知道撞到什麼東西停了下來，問題是要怎麼撿回來。和纜車工作人員討論之後，決定由S主編去撿。

在等待滑雪板期間，我和T女士在已經變成野餐區的山上小屋附近散步，看到了月山神社的招牌，第一次知道原來這裡是這麼神聖的地方。回到東京後，和京極夏彥聊起去了月山這件事。他對我說：

「喔喔，你去了那座靈山，是去參拜嗎？」

原來對民俗學有深入瞭解的人而言，滑雪場並不重要，重要的是月山在那方面有名。

多虧S主編的努力，順利撿回了我的滑雪板，為了彌補剛才多休息的時間，我抓緊時間拚命滑。奇怪的是，當適應之後，即使是很有挑戰性的斜坡，也不會覺得累。S主編可能有點中暑，休息的次數很多，但我和T女士都知道，他和其他女生一起搭吊椅纜車時有說有笑，開心得不得了。這傢伙還真是真人不露相。

如此這般，我們在夏日充分享受了滑雪的樂趣，回到小木屋後，在露台上喝著啤酒。露台上放著桌子，還撐了一把遮陽傘。

我穿著T恤喝啤酒，在陽光下眺望著白雪茫茫的滑雪場——原來還有如此夢幻的享受。我希望明年可以再來。

「我已經夠了，我不想再來了。」

S主編這麼說。別這麼說嘛。

（二〇〇三年六月）

ちゃれんじ？

冰壺比賽樂趣無窮，鬆懈是大敵！

這次的篇名很奇怪，只要繼續看這篇拙文，就可以瞭解其中的原因。

本人東野、T女士和S主編仍然在摸索滑雪淡季的玩樂。經過討論之後，決定突破盲點，挑戰冰壺。之所以說突破盲點，是指在冬季運動的淡季挑戰另一項冬季運動的意外性。

這時，剛好得知了神宮溜冰場要開辦冰壺教室，於是我們決定報名參加。

我相信很多人知道，冰壺是在冰上對戰的運動，由兩支隊伍輪流丟擲有柄的扁平圓狀石頭，將石壺刷進圓壘中心就可以得分。加拿大是最盛行冰壺的國家，因為成為奧運正式比賽項目，所以在美國和歐洲也成為一項很受歡迎的運動。十年前，我去加拿大的朋友家玩時，他太太曾經說：「聽說冰壺會成為奧運比賽項目，所以我打算在這裡學，因為日本還很少有人玩。」當時覺得她在說笑，但如果她真的這麼做，也許現在已經成為冰壺選手。

由於這項運動除了運動能力以外，還需要動腦發揮策略，所以也曾經被稱為「冰上西洋棋」。瞭解比賽規則後會覺得很有意思，看冬季奧運比賽也會樂趣倍增。

但我並不打算在這裡解說詳細的規則，更何況我們還不到可以比賽的程度，更正確地說，根本是新手。這次T女士去打聽時，冰壺教室的主辦單位回答說：「初學者不可能馬上參加比賽，至少要先來上兩、三次課。」嗯，冰壺似乎沒有看起來這麼簡單。

其實我並不是第一次挑戰冰壺。以前其他雜誌曾經舉辦過「挑戰冬季奧運項目」的企畫，我也就不知天高地厚地去參加了。當時要求我參加的項目正是冰壺，但其實只是擺擺姿勢拍照而已，並沒有正式教我。我記得是長野冬季奧運之前，所以已經是六年前的事了。因為那次貧乏的經驗，讓我覺得「並不會太難」，於是就對T女士和S主編說：「和單板滑雪相比，根本易如反掌。」

七月的某一天，我們一大早就前往神宮溜冰場，七點半多一點就到了那裡。原本擔心溜冰場還沒有開始營業，沒想到停車場內停了很多車子，而且很多都是高級進口車。走進去一看，已經有團體包下整個場地在練習。那是花式滑冰的團體，許多小女孩活潑地在冰上做出各種優美的姿勢。她們的母親站在場外，露出充滿期待的眼神注視著她們。原來這些媽媽就是那些高級進口車的車主。

當我在教練中發現了佐野稔的身影時，更加大吃一驚。眾所周知，他是帶領日本花式滑冰進入國際水準的重要人物。我想起前妻在學生時代也是花式滑冰的選手，也曾經是佐野稔的學生，她曾經給我看過當時的照片。二十多年過去，在佐野稔身上也看不到昔日冰上王子的樣子了。

正當我陷入這種莫名的感傷時，冰壺教室開始上課。首先要求每個學生填寫加入運動傷害保險的單子。因為冰上很危險，只是當時我做夢都沒有想到，這個手續在之後會具有極其重大的意義。

包括我們在內，這一天有十名左右學員，大部分人都戴著眼鏡，難道是巧合嗎？因為冰壺被稱為冰上西洋棋，所以高材生型的人可能想要挑戰這項運動。事後聽說很多東大畢業的人都來這裡玩冰壺，但在動腦筋之前首先必須動身體，很多人在這一關就遇到了障礙。

充分做完伸展操後，終於來到冰上。在此之前，工作人員交給我們兩樣東西。一個是名叫「冰刷」的刷子。很多人聽到「冰壺」這個名字，就會想到運動

雖然被稱讚姿勢很優美……但是，悲劇緊接而來。

員用力刷冰的身影。另一個是像拖鞋一樣裝在鞋底的東西，一旦裝上這個東西，鞋底就會變得很滑。但只裝在軸心腳上，慣用腳上則不用裝，所以在冰上移動時，把慣用腳踢向後方，將身體重量移到軸心腳上，讓身體在冰上滑動。雖然寫起來很簡單，但實際試一下之後就會發現相當困難，滑冰還比較簡單。總之，光是站在冰上，身體就會搖晃不已。

T女士似乎察覺到危險，戰戰兢兢地說：

「呃，東野先生，我想在

場外專心為你拍照。」

她竟然打算臨陣退縮？但眼前的狀況讓我無法責怪她。因為如果在冰上跌倒，一定會把相機摔壞，於是就決定由她負責拍照。

首先練習丟擲石壺，但在此之前，必須先學會讓自己的身體向前滑的感覺。具體方法就是做出在陸地準備起跑的姿勢，然後慣用腳踢向後方的牆壁，保持這個姿勢向前滑動。當雙手放在冰上很難滑動，所以要把冰刷放在旁邊，雙手放在柄上。

雖然說起來簡單，但實際做起來真的很難。雖然在此之前，我試過各種「滑動」的運動，無論是單板滑雪還是雙板滑雪，在滑動期間都維持站立的姿勢，只有跌倒之後才會趴下，但這次一開始就要趴下在冰上滑動，這種未知的感覺讓我不知所措。

S主編在練習趴下滑時發揮了意外的才華，大家還在苦練，他就獨自滑了起來，老師也說他「姿勢很正確」。我再次體會到，人在挑戰各種不同的事後，就會找到適合自己的事。

在充分練習趴下滑之後，終於開始練習丟擲石壺。首先坐在冰上，讓石壺在輕輕旋轉的同時丟擲出去。旋轉有助於使石壺前進的方向更穩定，不容易受到冰表面狀態的影響。冰壺的英文是「Curling」，就是讓石頭輕輕旋轉的意思。

順利掌握拿石壺的感覺之後，才正式練習丟擲。把冰刷夾在腋下，抓住石壺柄，在注意身體平衡和節奏的情況下，用力踢向起點板。首先發揮剛才充分練習的趴下滑行訣竅，但問題在於之後。當用全身開始滑行後，不一會兒，就要把石壺丟向前方。在石壺離手時，原本的四個支撐點只剩下三個，幾乎所有人都重心不穩，有時候會跌在冰上。

「不要把體重放在石壺上，身體的重心不能偏向石壺，但要做到這一點並不容易。」

從教練說的這句話，就知道這是一大難關。

剛才是優等生的S主編也在把石壺丟出去的同時，整個人趴在冰上。我觀察其他人，也很少有人在丟出去之後，仍然能夠維持原來的姿勢。我自己試了一下，石壺一離手，立刻重心不穩。嗯，真的很難，完全不是「易如反掌」。

但經過多次練習，在丟出石壺之後，總算能夠穩住重心，順勢繼續滑行，做出冰壺特有的動作，只是不知道姿勢有多正確。一旦進步到這種程度，就覺得很有樂趣。

「冰壺真的很好玩。」

「是啊，這種微妙的感覺讓人欲罷不能。」

S主編似乎也有同感。

既然還沒有開始比賽就這麼好玩，以後進步到能夠比賽的程度，一定會愛上這種運動。

在學會丟擲石壺之後，開始練習刷冰。刷冰就是用力刷冰壺前進方向的冰面，可以藉此控制石壺的速度和前進方向。

所有人拿著冰刷，排成一行用力刷冰。並沒有特別難的地方，就像是拿長柄刷洗陽台，我忍不住吐嘈說，這個畫面有點滑稽。

啊，我不應該鬆懈大意，這是運動時的大忌。當我稍不留神時，腳下一滑。當我心想「不妙！」時，冰面已經出現在眼前。

啊，慘了。我忍不住想。這樣會受傷。這樣會給大家添麻煩。如果在這裡受傷，一定會流血。慘了。

不可思議的是，發生這種情況時，一切都變成慢動作。我很客觀地觀察著即將受傷的自己。

噗通、嘩啦。

我聽到很不妙的聲音。下一剎那，我已經倒在冰面上。

雖然我知道即使詳述接下來發生的事，也無法為這篇文章帶來高潮，但因為學冰壺的事就在這一刻畫上了句點，所以還是要交代一下之後的經過。

最後，我被抬上救護車，送進了慶應義塾大學醫院。那是我第一次搭救護車，所以有點竊喜。我想到很少有這樣的機會，於是微微睜開眼睛觀察車內。

因為我是頭部受傷，所以到了醫院之後，首先徹底檢查腦部是否有任何損傷，結束之後去照X光。

「頸椎沒有問題。」

聽到醫院說明X光的結果，我鬆了一口氣。

「但額頭的傷口很深，等一下馬上為你縫合。鼻子也撞破了，可能也需要縫合，之後再去口腔外科治療門牙。因為你的門牙斷了，然後再請耳鼻科的醫生檢查你鼻子的情況，因為你的鼻骨也斷了。」

怎麼會這樣，那不是所有部位都出了問題嗎？但也許是因為已經確認腦部沒有問題，醫生和護理師看起來都很輕鬆。

「東野先生，你是作家嗎？」負責為我急診的醫生問我。

「嗯，是啊。」

「聽說你是在打冰壺時受的傷，作家為什麼跑去打冰壺？」

「呃，說來話長，算是因為採訪吧。」

「是喔，所以要做各種採訪嗎？」

「是啊……」

「除此以外，還採訪什麼？」

「像是單板滑雪。」

「單板滑雪？作家要上山下海，還真辛苦啊。」

我懶得向他解釋，那只是我自己喜歡，所以只說了聲「是啊是啊」。

縫好額頭，臉上也包紮完畢，正在等待治療牙齒，冰壺教室的幾位老師來醫院探視我，說自己的指導方法有問題向我道歉，把我嚇壞了。

「不，是我得意忘形，自己摔倒的，請不要放在心上。」

因為門牙斷了，說話有點不太清楚，但我拚命向他們說明，完全不會責怪冰壺教室。

我必須聲明，冰壺本身並不是危險的運動，必須動腦筋，也很刺激，是一項樂趣無窮的運動，但忘記自己是在冰上而疏忽大意就很危險，而且無論做任何運動，一旦疏忽大意，都會造成危險。

在被救護車送到醫院的四個小時後，我在S主編的陪同下走出醫院。額頭和鼻子上都貼了很大的OK繃，門牙也用黏膠黏好了。

寫這系列隨筆不可能不提到受傷的事，但不能為冰壺這項運動帶來負面印象，最好的方法就是等傷勢好轉再挑戰一次——我在計程車上思考著。

但T女士和S主編可能會反對。

（二〇〇三年七月）

ちゃれんじ？

從不起眼的事開始

上一篇文章變成了因為意外受傷而落幕的「冰壺歷險記」。過了一個月，臉上的傷終於不再那麼明顯，門牙也黏好了，雖然不知道鼻骨是什麼狀況，但應該可以說已經完全恢復了。

但還是不能胡來。口腔外科的醫生也再三叮嚀，如果再摔一次，門牙就毀了。事已至此，應該也沒辦法挑戰半管滑雪了。沒想到T女士竟然照樣打電話來催稿，簡直沒血沒淚。

『呃，你的身體似乎已經好了，下次要挑戰什麼？』

在她的字典裡，似乎沒有「連載停止一次」這幾個字。

這個月沒辦法挑戰，但並不是完全沒有運動。在受傷後一個星期左右，我就像往常一樣開始活動身體，也就是去健身房鍛鍊。

我在一九九九年開始加入住家附近的健身房會員，原來已經四年了。嗯，我還頗能堅持的嘛，但其實我並沒有很認真，平均每個星期去兩次左右，開始滑雪之後，冬天每個星期只去一次。因為滑雪已經把我累壞了。

當初加入健身房的會員是為了塑身，因為當時的體重即將邁入八十大關，體脂肪率也超過百分之二十五。雖然我自認為還沒有問題，但中年肥胖已經悄悄爬到我的腳邊，只不過我自己還沒有察覺，而是我母親一語點醒夢中人。

「有一陣子沒見到你，你是不是變胖了？手臂又白又胖，簡直就像是白皮豬。」

只有母親說話這麼毫不留情地，但也因為是母親說的話，所以我知道不是開玩笑或是誇張，於是產生了危機感，覺得自己真的快變成白皮豬了。

不僅如此，當時由廣末涼子主演的《秘密》這部電影正在拍攝，我全力配合宣傳，接受了很多雜誌的採訪，當然也拍了照片。沒想到很多朋友看了雜誌之後都對我說：「你最近是不是胖了？」這下子完蛋了，我變成胖子這件事已經瞞不了人了。我著急起來。

於是就去了健身房。我和教練討論後，請教練為我擬一份瘦身計畫，但在進行體力測試時，發現了令我愕然的事實。因為我的體力大幅衰退，甚至難以面對心肺能力的極度衰退。

自從小學開始學游泳之後，我都持續運動。中學、高中和大學都參加了運動社團，進公司之後，也和朋友成立了運動社團，一起打桌球和羽毛球，但成為作家搬來東京十幾年，除了有一陣子打高爾夫球以外，幾乎沒有認真做過任何運動，雖然按照自己的方式持續做重訓，但完全沒有做任何有助於提升心肺能力的運動。

「這種人反而更加危險。」教練說，「因為通常會誤以為自己身體還很靈活，但其實根本沒有運動，這種落差往往會造成意外，所以很多以前是運動員的爸爸會在小孩子的運動會上跌倒。」

教練又繼續說了下去。

「不光是這樣，當肌肉減少，代謝機能當然就降低，但當事人並沒有發現這件事，還像以前有肌肉時一樣大吃大喝，因為脂肪沒有燃燒，所以就越積越多，雖然體型和年輕時差不多，但肌肉都變成了脂肪，如果放任下去，就會造成肥胖。」

我完全就是教練說的這種情況，聽了全身都冒著冷汗。

於是，我就開始了上健身房的日子，但老實說，真的很痛苦。最大的痛苦莫過於單調無趣，尤其是踩腳踏車、在跑步機上跑步這些有氧運動不僅耗時，而且很容易膩，又累又無聊，當然讓人提不起勁。

而且如果效果明顯也就罷了，即使堅持一、兩個星期，體重也完全沒有減少，反而增加了。我向教練抗議，是不是有問題？

「這不是電視節目中的減肥企畫，當然不可能這麼快就有效果，而且如果體重急速下降，也會很快復胖。請你繼續按照目前的計畫訓練，體重一定會降下來。」

教練看起來很有自信，於是我問他要練多久，體重才會降下來。

「第一個月不會有變化，而且就像你說的，體重會稍微增加。這是因為肌肉增加的關係，這些肌肉會燃燒脂肪。至少要三個月後，才會清楚看到效果。」

三、三、三個月？我要持續做這種單調的運動那麼久？

教練一臉冷酷的表情說：

「三個月後才會開始出現效果，你的目標是體重減少十公斤，差不多要一年才能達到這個目標。達到目標之後仍然必須持續運動，才能維持這樣的體重，並不是到此就結束了。」

所以說，一旦踏上減肥這條路，就再也不能回頭了嗎？一旦回頭，又會變成胖子？

「差不多就是這樣，總之，必須確保運動量，做其他運動也沒問題。」教練這麼對我說。

雖然教練這麼說，但正因為沒有其他運動可做，才會來健身房。

「那要不要試試有氧健身操？應該會很開心喔。」教練笑著說。

我去跳有氧健身操？的確有些中年男子會跳有氧健身操，而且看起來樂在其中。如果我去挑戰有氧健身操，絕對可以找到一、兩個話題寫隨筆。但如果要我在無聊和丟臉中二選一——

算了，我還是先努力三個月再說。於是我選擇了健身器材。

持續了三個月，體重果然開始下降，我完全沒有想到人類的身體這麼單純，竟然可以按照事先的計算進行操作。

一旦有了效果，士氣開始大振，也不再像以前那麼討厭上健身房。既然效果已經顯現，如果現在三天打魚，兩天晒網，之前的辛苦就泡湯了。這麼一想，就有動力繼續堅持下去。

經常有朋友問我，能夠堅持上健身房的祕訣是什麼，可見大家都很難堅持。雖然我不知道是否稱得上是祕訣，但我相信自己是因為對健身房有正確的認識，才能堅持下來。

我向來不認為健身房是運動的地方，而是覺得那裡是醫院。因為想要治療日漸肥胖這種疾病，或是為了預防生活習慣病，所以才持續上健身房。

無論再怎麼不願意，一旦牙齒出了問題，就會去看牙醫，按時就診。健身房也一樣。

也許健身房的工作人員看到我這麼寫會不高興，覺得再怎麼樣，也不要把健身房和牙醫相提並論。上健身房的確比看牙齒稍微開心點，但這並不是因為可以看到年輕女生穿緊身運動衣，或是可以看到女生穿泳裝。我上健身房四年，從來沒有看過這種養眼的畫面，一次也沒有。尤其我都是白天的時段上健身房，所以看到的幾乎都是婆婆媽媽，根本不必指望可以養眼。

至於到底哪裡開心？這或許只是我個人的樂趣，我每次去健身房，都覺得觀察其他人很有趣，深刻體會到「一種米養百樣人」這句話。

前面也曾經提到，我在健身房時，主要使用健身器材。我健身的目的是為了塑身，很多男生是為了練肌肉，他們會徹底貫徹啞鈴、槓鈴這些無氧運動。這當然沒有問題，但這些人毫無例外地經常看著自己的身體出神。不知道是因為剛好，還是健身房也知道這些人喜歡自賞，所以周圍都是鏡子，這些市井健美先生擺出各種姿勢的畫面刺激了我的想像力。

（呵呵呵，我的肱二頭肌越來越大了。）

（我的胸肌很棒吧，女人看了一定會神魂顛倒。）

（啊，那個王八蛋，竟然有六塊肌，我的不知道有沒有他這麼結實。）

（那傢伙用幾公斤的啞鈴？十二公斤嗎？那我要用十三公斤。）

雖然我不知道他們是不是真的這麼想，但至少我看起來是這樣。

有時候也會看到一些看起來並沒有經常運動，卻異常賣力的人。這種人十之八九是剛加入健身房的會員，不知道是想要減掉一些贅肉，還是想在夏天之前變成肌肉男，總之，這些人有某種強烈的動機。為了早日達到這個目的，從第一天就開始全力以赴。

之前曾經看過一個年輕人一次又一次練健腹機，我猜想他滿腦子都在想腹肌。

（腹肌、腹肌，只要練出六塊肌，肚子就可以消下去。六塊肌看起來超帥。我要趕快練出六塊肌，要徹底鍛鍊，六塊肌是我的！腹肌是生命，腹肌是一切，腹肌是我的人生。）

我可以斷言，這種類型的人通常都無法持續太久。因為隔天的肌肉痠痛和疲勞的雙重打擊，讓他們對健身房卻步。那個練健腹機的年輕人，恐怕隔天連笑一下都會痛苦不已。

一旦太賣力，反彈力就會很大，結果就會找各種理由不去健身房，通常最後就再也不上健身房了。我在那次之後，也沒有再見過那個健腹機年輕人。

不要太賣力——這或許也是能夠持續上健身房的原則。

除此以外，還有各式各樣的人會來健身房。有為了消除臉部浮腫走進蒸氣室的酒店小姐、對自己的緊實身材感到自豪，但明顯宿醉的牛郎、雖然是夏天，但仍然穿著長袖健身，長相可怕的大叔，以及無論怎麼看，都像是來找人聊天的大嬸，健身房內有各種有趣的人物。

因為自己常觀察別人，所以我也忍不住想，不知道自己在別人眼中是怎樣一個人。

非假日白天就來上健身房，聽著CD隨身聽默默練健身器材的中年男子，每次都練得滿身大汗，用過的器材也都是汗水，一直盯著別人看，而且還唸唸有詞

——很不妙啊，非常不妙……

（二〇〇三年八月）

對阪神虎隊奪冠的感想

一九八五年，應該是七月二日那一天，我在講談社的會客室參加了記者會。因為前一天公佈了江戶川亂步賞，拙著《放學後》得了獎。

問了幾個制式的問題後，其中一名記者問我：

「東野先生，請問你喜歡棒球嗎？」

我猜想記者是因為前一年入圍的《魔球》是一部描寫棒球的小說，所以記者才會問這個問題。

當我回答說喜歡時，這名記者迫不及待地問我支持哪一個球隊。他似乎注意到我是大阪人這件事。我明確地回答是阪神隊，回應了記者的期待。周圍的其他記者和講談社的人聽了之後都笑了起來。

如各位所知，阪神隊在那一年獲得了冠軍，但當時還在打錦標賽，難得打出好成績的阪神虎隊獲得了全國棒球迷的矚目。發問的那名記者暫時拋開了江戶川亂步賞，對阪神迷目前的心情產生了興趣。

「你認為今年有希望嗎？」記者滿臉笑容繼續問道。

一定會得到冠軍。他一定希望我這麼回答。他也許打算從對阪神隊暫時勢如破竹的表現感到興奮的球迷角度，切入介紹江戶川亂步賞最新得獎者的報導，但我並沒有這麼回答。我想了一下之後回答：

「對我來說，已經發生了這輩子最棒的奇蹟，所以今年不會再有奇蹟，否則就太貪心了。」

記者失望地微笑點頭，可能覺得阪神迷太冷靜，太無趣了。

我當然不是一直都這麼冷靜，當冠軍就在眼前時，也會像其他人一樣興奮不已，當確定獲得冠軍時，腦筋也一片空白。

但是，如果只是比賽成績稍微不錯，並不會興奮期待。在九局下半時，即使對方球隊已經有兩人出局，也會擔心會不會被逆轉；即使連戰連勝，也會擔心只要輸一場，就會開始連敗。姑且不論其他事，但對阪神虎隊這支球隊，很難有正面思考。我相信支持阪神虎隊多年的球迷，都在某種程度上有相同的感想。

因為阪神虎隊在讓球迷失望這件事上具有獨領風騷的本領。

我應該是在小學五年級時成為阪神迷。當時有江夏，他和田淵兩人被稱為黃金搭檔。但我成為阪神迷並不是因為喜歡他們，而是希望他們代表大阪，打敗耀武揚威的東京，也就是巨人隊，所以才支持阪神虎隊。

雖然我一直希望他們打敗巨人，但從來沒有想過阪神虎隊獲得冠軍。

當時，巨人正處於九連霸的顛峰時期，每年都是巨人隊奪冠。在職業棒球日本錦標系列賽中，每次都是川上哲治被人拋起來表達祝賀。在我開始對棒球產生興趣時就一直看到這種畫面，內心在不知不覺中產生了固定概念。

「冠軍一定是巨人隊，這件事不會改變，所以計算到底贏了幾場根本沒有意義，只要充分享受眼前這場比賽就好。」

當時，日本的首相是佐藤榮作。從我懂事的時候開始就一直是他，那時候我還以為首相是終身制，所以當田中角榮取代佐藤榮作成為首相時，我嚇了一大跳，但還是覺得「即使首相會換，中央聯盟的冠軍隊不可能會改變。」

所以當中日隊終結巨人隊的九連霸時代時，真的跌破了我的眼鏡。因為我覺得發生了不可能發生的事。之後又接連發生了難以置信的事。巨人隊有時候變成最後一名，萬年二流球隊的廣島隊或養樂多隊成為冠軍。

這時候，我的意識也終於發生了改變。既然廣島隊和養樂多隊能夠成為冠軍，當然也可以夢想阪神隊也創造奇蹟。

然而，這個夢想很快就消失了。因為阪神隊打不贏。即使暫時出現好成績也無法持續，很快又墜入谷底，只有球員交易和家變的事會引起矚目。

那是我踏上社會沒多久的事，應該是一九八二、八三年的時候，有一個名叫《謝謝你，我是濱村淳》的廣播節目。當時我在開車時經常聽這個節目，這個節目中有一個時段會朗讀聽眾投稿的川柳。我記得有一次的題目是「淚水」，介紹了這樣一首川柳——

阪神虎冠軍　如果夢想可成真　我也會流淚

我聽到這首川柳時，忍不住低吟了一聲。因為這首川柳充分道盡了阪神球迷的心情。這首川柳描寫出了球迷一直希望阪神隊能夠得到冠軍，但也漸漸心灰意冷，覺得那是難以實現的夢。「說得太貼切了。」我在開車時忍不住嘀咕。

曾經有人對我說，那麼弱的球隊，你竟然可以支持這麼多年。所謂「弱」，指的是冠軍無望的意思。我相信朋友是認為球迷最大的樂趣，就是看到支持的球隊爭奪冠軍的激動場面，才會產生這樣的疑問，但我那時候支持阪神隊，完全不會想到「爭奪冠軍」這幾個字，眼前這場比賽就是一切。只要贏了這場比賽，無論排名如何，就會覺得「今天打得太棒了」，就可以感到幸福。

正因為這樣，一九八五年的冠軍簡直就像在做夢。蘭迪．巴斯、掛布、岡田和真弓的擊球厲害得沒有真實感。

原來阪神隊也能夠得到冠軍——這時我當時最真實的感想，原本以為不可能的事竟然發生了。

阪神隊這次獲得冠軍，導致我內心發生了變化。因為我失去了之前支持阪神隊的大前提，很難再像以前一樣不考慮冠軍這件事。

因為得而復失比一無所有更加痛苦，在品嚐過冠軍的甘露後，就知道萬年墊底的苦水是多麼痛苦的滋味。

那段時間對我來說也是充滿考驗的時期。我寫的書賣不出去，即使入圍文學賞，也每每鎩羽而歸。

有一次，我心血來潮地設定了三組競爭對手，決定和他們展開比賽，究竟是他們先達到目標，還是我先得獎。這三組競爭對手如下。

．清原和博（目標　得到頭銜）

·格雷格·諾曼（目標　美國名人賽冠軍）

·阪神虎隊（目標　冠軍）

清原和博在一九八五年的選拔賽中進入西武隊，隔年獲得新人王，據說他很快就會獲得打擊王的頭銜，卻遲遲沒有拿到。格雷格·諾曼在一九八六年的美國名人賽中領先，卻因為傑克·尼克勞斯，戲劇性地逆轉而落敗。至於阪神虎隊就不用說了，在一九八五年之後，甚至沒有機會爭奪冠軍。

老實說，我原本以為一定會輸給清原和諾曼，但不會輸給阪神虎隊。即使我得不到文學賞，反正阪神隊也得不到冠軍，所以我們之間永遠不會有勝負之分。

競爭一直持續到一九九九年，沒想到我竟然獲得了日本推理作家協會賞，我做夢也沒有想到，清原和諾曼竟然拖了那麼久仍然沒有達到目標（至今仍然沒有達到目標）。

阪神隊的表現就完全符合我的預料，戰績始終低迷，排名始終落後。只有一九九二年一度讓球迷激動心跳、緊張不已，但也只有那一次有資格爭奪冠軍，反正阪神這支球隊很快就弱下來。

即使找了一九八五年的冠軍總教練也不行，招聘了ＩＤ（Important data）

棒球的野村總教練也還是不行，連續四年都墊底，真的讓人很無言。

阪神隊欲振乏力的狀態持續多年後，一九八五年體會過的那種甘露般的滋味也漸漸淡化，「阪神隊不會贏」再度成為常態。

去年（二〇〇二年），在巨人隊的魔術數字是1的狀態下，阪神隊和巨人隊交戰。第二名的球隊在其他比賽中落敗，所以巨人隊已經得到了冠軍，但阪神隊在和巨人隊的比賽中，以再見全壘打獲勝。阪神球迷歡欣鼓舞地在看台上唱起了阪神隊的應援歌〈六甲下降風〉，其他球隊的球迷應該難以理解這種行為，但我完全瞭解。因為對阪神球迷來說，阪神隊的排名毫無意義，所以哪一隊得到冠軍根本不重要，只要看到阪神隊的選手在眼前的比賽中努力奮戰就心滿意足了。因為對阪神隊來說，每年在七月之後，就只是在消化比賽場數。想要持續當阪神球迷，必須是能夠享受這種消化比賽的高手。

沒想到出現了星野仙一這個人物。

他徹底改變了阪神隊這支球隊，讓這頭弱虎改頭換面，成為戰鬥虎隊，完成了十八年來沒有人能夠做到的事。雖然在開幕戰中落敗，但之後很快連戰連勝，雖然被巨人隊追上六分的差距，但仍然打成和局，接著又連勝兩場比賽，那都是以前的阪神隊絕對不可能做到的事。

我為阪神隊的勝利感到喜悅的同時，也有點納悶，甚至懷疑那真的是阪神虎隊嗎？是不是名叫阪神虎隊的其他球隊？

阪神隊越戰越勇，繼續連戰連勝，贏了一場又一場。誰能夠預料到阪神隊在七月時已經有了魔術數字。

在進入八月之前，我就確信阪神虎隊可以奪冠。因為阪神虎隊的勝場數領先四十場，第二名到第五名打成一團，相互抵消勝場數。即使阪神虎隊接下來連戰連輸，魔術數字也會自動減少。果然不出所料，八月因為夏季甲子園在阪神甲子園球場舉行一個月的比賽，導致阪神虎隊必須接受全客場賽事的安排，球員因為舟車勞頓而容易影響戰績，雖然在這段「死亡之路」期間陷入了苦戰，但的確在持續倒數。

八月之後就是在消化比賽場數。我原本打算去看對巨人隊的那場比賽，但最後取消了。雖然我是享受消化比賽的高手，但總覺得「不需要特地跑去球場看」。

九月十五日，阪神隊終於獲得了冠軍。我在巨人隊和中日隊的比賽空檔看到了這一幕。

當我看完星野總教練和選手歡天喜地的身影之後，又把電視頻道轉回巨人隊和中日隊那場比賽的直播。巨人隊大敗，而且是長期連續吞敗。

看到那一幕的瞬間，我終於瞭解為什麼自己在本賽季中一直有一種不對勁的感覺。

因為目前的阪神隊已經沒有必須打敗的對手了。

我在支持阪神隊時，焦點永遠放在巨人隊身上。在我這個大阪人眼中，巨人隊就代表東京，對渺小的我來說，巨人隊是龐大的組織。

然而，對目前的阪神隊來說，巨人隊不再是巨大的障礙，應該在第一場交鋒的比賽中就已經消除了障礙。雖然巨人隊追上了六分的差距，但那也許是巨人隊傾了今年的全力。阪神隊只要撐過那場比賽，之後就所向無敵。

今年的阪神隊並沒有奮戰，只是在無人的原野上奔跑。

相隔十八年的冠軍的確令人欣喜，但並不完全是我真正追求的東西。

巨人隊明年一定會脫胎換骨，當巨人隊厲害得讓人恨得牙癢癢時，阪神隊打敗巨人隊獲得冠軍時，我一定會發自內心感到高興。

但如果阪神隊接下來進入黃金時代怎麼辦？如果阪神隊連續多年稱霸，我還會繼續支持阪神隊嗎？因為那時候已經看不到「打敗強者的弱者」的阪神隊了。

這也許是杞人憂天，也許應該更務實地擔心在品嚐甘露之後，必須再度吞下苦水。

當然，我已經做好了心理準備。

（二〇〇三年九月）

ちゃれんじ?

我去看了《湖邊凶殺案》!

二〇〇三年年初，實業之日本社出版的拙著《湖邊凶殺案》正式決定要拍成電影。之前雖然聽富士電視台提起正在研究拍成電影的可能性，但我並沒有抱太大的希望。因為不久之前才剛決定《綁架遊戲》（電影片名為《g@me.》）要拍成電影，所以我不認為這種事會連續發生。

《湖邊凶殺案》將由曾經拍過《人造天堂》等代表作的實力派導演青山真治執導，得知這件事後，我們認為富士電視台很用心，也不由地充滿期待。當我們得知角色分配後，更加欣喜若狂。因為竟然請到了役所廣司先生主演，當時還沒有決定其他的角色，但在決定役所先生主演，由青山真治先生執導後，立刻為《湖邊凶殺案》打響了名號，再加上——這樣說或許有點失禮——製片人是和青山導演合作多年的仙頭武則先生，簡直就是完美無缺。

自己的小說拍成電影是一件開心的事。一方面可以期待增加小說的銷量，但更因為純粹的好奇心，不知道那部作品拍成電影是什麼樣子。我在寫小說時，會先在腦海中想像畫面，然後再寫成文字。拍電影就是讓文字再回到影像，我很想知道在其他創作人手上會變成什麼樣子。

得知《湖邊凶殺案》要拍電影，在這個隨筆專欄中經常出現的S主編和T女士也都很高興，他們說，這是他們經手的作品第一次被拍成電影。

那時候還是滑雪季，我們三個人經常一起去滑雪，在去程和回程的車上都會聊拍電影的事。役所先生以外的角色也陸續決定了演員人選，我們發揮想像力，討論尚未決定人選的角色。

「你們覺得〇〇來演那個角色怎麼樣？」

「不，那個演員好像不太適合，和她的戲路落差有點大，我認為××不錯。」

「這樣太沒驚喜了，我認為〇〇不錯啊，她剛好需要改變戲路。」

三個外行人自以為是製作人地討論起來。

電影在五月開拍，拍攝地點在河口湖。劇組真的在湖畔建了一棟別墅，大部分場景都在那裡拍攝。我們聽了之後大吃一驚，富士電視台的製片人說：

「我們也想了很多方法，像是借用幾棟現場的別墅，不同的場景在不同的別墅拍攝，或是在攝影棚內搭佈景，但最後覺得還是這樣最省事，而且費用反而比較節省。」

雖然我也搞不太清楚，但覺得可能就是這麼一回事。之前《秘密》拍成電影時，就是在攝影棚內搭了住家的佈景，但一點都不簡陋粗糙。

我們決定去攝影現場探班。當時所有的演員都已經決定了，聽到藥師丸博子小姐、豐川悅司先生這些大牌演員的名字，我們興奮得不得了。既然要去探班，當然希望可以一次見到更多演員。我們向富士電視台提出了這個要求，請對方安排探班的日子。

五月的某一天，我們前往河口湖。S主編和T女士也完全變成了追星族。

下了河口湖交流道，車子繼續行駛了一段路，沿著樹林中的小路前進，看到前方有一棟別墅。當我們看到那棟別墅時，忍不住感嘆。沒想到真的是一棟別墅，而且很豪華。

《湖邊凶殺案》是密室推理故事，四對夫妻帶著準備考中學的兒女，來到一棟湖畔的別墅參加合宿，結果發生了凶殺案，令他們不知所措。

我看到眼前這棟別墅的第一印象是——我想像中的別墅沒這麼豪華。
仙頭製作人出來迎接我們。
「這棟別墅真豪華。」我立刻表達了感想。
「是不是？問題在於拍完之後該怎麼處理，因為使用了真材實料，所以也可以直接搬去其他地方蓋房子，東野先生，你要不要考慮買下來？」
仙頭先生一口大阪腔，當他用這種口吻推銷時，簡直難以拒絕。不，我當然沒有買。
因為下起了雨，所以稍微修改了拍攝計畫。T女士聽到豐川悅司先生的戲要改到晚上才拍，明顯露出了失望的表情，幸好都是在別墅內拍攝，所以不必擔心會淋到雨。
別墅內擠滿了人，幾乎都是工作人員。接下來那場戲似乎要在客廳拍攝，所以正在決定沙發周圍的攝影機和燈光的位置。青山導演坐在椅子上向工作人員發號施令，很多工作人員聽到指示後，立刻行動起來。通常這種狀態應該會很吵鬧，但奇怪的是現場很安靜，可以感受到空氣繃得很緊。
我們移到不會影響拍攝的位置，說話也必須竊竊私語。我覺得自己來到一個

從頭到尾都非常緊張的一天。（《湖邊凶殺案》電影預定於2006年冬季上映）※此為日文版出版時資訊。

不得了的地方。

不一會兒，役所廣司先生和柄本明先生出現了。這一幕是他們兩個人在客廳說話，他們演的內容很緊張，每次聽到「開拍」的聲音時，我們就一動也不敢動。如果稍微咳嗽一下，應該會被所有工作人員瞪眼。雖然不是自己在演戲，但聽到正式拍攝「OK」時，忍不住用力鬆一口氣。

劇組方面利用下一幕的準備時間安排了媒體採訪，我正在等待時，藥師丸博子小姐不知道從哪裡走到我面前。因為完全出乎意料，所以我嚇了一大跳。

對我們這個世代的人來說，聽到藥師丸博子，當然就會想到《水手服和機關槍》，以前公司有一位前輩是她的超級影迷，想到那部電影的女主角就在眼前，簡直像在做夢。

藥師丸小姐看到我很緊張，主動對我說：

「我經常聽北方謙三先生提到你，很榮幸能夠見到你。」

雖然我知道她在說客套話，但還是很高興，只是沒有問北方老爹對她說了些什麼。

接著，役所廣司先生，和以這部電影成為實質出道作品的真野裕子小姐出現了。役所先生就像之前在電視和電影中看到那樣，整個人很有氣勢，真野小姐超漂亮。她扮演役所先生的情婦，不知道是否因為透過甄選爭取到這個角色，感覺她很有自信。

媒體開始採訪，記者問役所先生，對原著作者來探班有什麼感想。

役所先生想了一下之後說：

「嗯，老實說，並不會覺得高興。」

他的回答聽起來像是真心話。

「因為會忍不住想，是不是讓原著作者失望了，所以會有點綁手綁腳。」

我能夠理解。我聽在一旁，忍不住這麼想。雖然我只是來看熱鬧，但演員聽到原著作者來了，一定會想「他是不是來挑毛病？」

《秘密》和《g@me.》的時候，我好幾次都被問：

「有好幾個地方和原著不同，你身為原著作者，有什麼想法？」

也許是我想太多，但很多人似乎認為原著作者一定會不高興。

我不知道其他作家的情況，但我可以明確告訴大家，我完全不會不高興。既然授權給對方拍攝電影，我向來相信導演、編劇和演員，因為每個人都想呈現出最好的作品，沒有人故意想要把作品拍得很難看，在經過深思熟慮之後，編寫出認為最精彩的故事即使和原著不同，也完全不是問題，我反而希望看到這樣的結果。因為導演一定會最完美地呈現整個故事，演員也會全力以赴。

身為原著作者，我看了之後，也可以從中學習。彼此當然會有想法不同的地方，但我並不認為不同就代表否定，因為自己的想法未必永遠都是最好的想法。

我在採訪中努力表達這一點，但記者似乎不太能理解，所以我覺得是不是像我這樣的作家並不多？

我們不好意思影響劇組的拍攝工作，而且也無法承受現場的緊張感，在採訪結束之後，就離開了拍攝現場。

聽說拍攝了一個多月，之後開始剪接，九月中旬完成後，要舉行一場只有工作人員參加的試片會，於是我們前往五反田的IMAGICA。

至於電影的成果——

雖然有點故弄玄虛，但我就不在這裡詳述了，只是可以透露一件事，相信專家的能力是正確的決定，把原著交給對方後就不再干涉的方針完全正確。

走出試片室時，看到新人女演員真野裕子小姐感動落淚。

我想起《秘密》的試片會後，廣末涼子小姐也熱淚盈眶。

（二〇〇三年十月）

ちゃれんじ？

準備就緒，還沒下雪？

二〇〇三年的夏天非常冷，聽說海水浴場的生意一落千丈，的確完全沒有夏天的感覺，每年必去的海邊也沒去，真的很無聊。

然而冬天遲遲不現身。十一月下旬還很暖和，在家只要穿短袖T恤，前幾天搭計程車時，計程車上的冷氣開得超強。

這樣很不妙。因為一直不下雪，「大叔單板滑雪手」沒辦法再度登場。

我查了一下去年的記錄。去年十一月初時，新潟和群馬已經下雪，我在十一月中旬時就去了玉原滑雪公園，而且雪質超讚，雪況很理想，幾乎整個滑雪場都可以滑雪。但今年玉原滑雪公園在十一月之後只下了三場雪，想要滑雪還早得很。

其他滑雪場的狀況也很慘，絕對會比去年晚將近一個月才開始營業。人工滑雪場也陷入苦戰，位在富士山山麓「全日本最早開始營業」的Yeti也因為下雨和氣溫太高的關係，雪一直融化。去年在這個隨筆專欄中曾經提到的鹿澤雪天地雖然已經開始營業，但只有百分之十不到的區域可以滑雪。去年明明下了很大的雪。

狹山滑雪場是最後的希望，但回想起去年的情況，就有點意興闌珊。因為那裡的人工雪和雪酪差不多，而且又是戶外的吊椅纜車，坐起來很熱，如果遇到溼氣重的日子，整個滑雪場都籠罩在一片詭異的霧茫茫之中……

事到如今，真的很懷念ＳＳＡＷＳ。雖然明知道已經發生的事就無力再挽回，但那個巨大設施歇業真的令人難過。因為我的單板滑雪史有一大半是在那裡建立的。

在夏天之前，還抱著一線希望，期待ＳＳＡＷＳ可以起死回生，但這個希望也破滅了。因為看到媒體報導ＳＳＡＷＳ要拆除了。從十月開始拆除，原址將建造大廈公寓。聽說出售土地足以支付龐大的拆除費用，三井不動產還真是厲害。

我上網看了佈告欄，發現有一個網站用攝影的方式記錄拆除狀況。我立刻去網站一看，發現從拆除的第一天開始，幾乎隔週攝影一次。看著令人懷念的ＳＳＡＷＳ一點一點拆除，變成一堆鐵架子，不由地難過起來。就連我這個短期常客

（這個詞彙有點奇怪）也這麼感傷，不難想像長期愛用者內心的難過。有人在佈告欄上寫，「祈禱再出現一次泡沫經濟，建造一個比ＳＳＡＷＳ規模更大的室內滑雪場」。我相信除了希望可以建造像ＳＳＡＷＳ那種大型設施的滑雪愛好者以外，即使對滑雪沒有興趣的人，也都希望經濟能夠好轉，只是希望不要再像泡沫一樣破了。

ＳＳＡＷＳ，謝謝，再見了。

既然一直不下雪，乾脆做一些只有不下雪時才能做的事，於是決定去看看沒有雪的滑雪場。至於為什麼要做這種事，當然是為了寫小說進行採訪，只是我還沒有決定要寫什麼小說，也不知道這次的採訪是否能夠發揮作用，但至少可以成為這個隨筆專欄的話題。

我和各位讀者已經很熟悉的Ｔ女士和Ｓ主編一起前往苗場，由Ｓ主編開車。車子上了關越高速公路後一口氣北上，路線和滑雪季時完全相同，唯一的不同，就是無論車子開多久，都看不到前方的雪山，卻可以看到滑雪場的招牌，還有招牌上很有氣勢地寫著「十一月二十二日開始營業！」我在寫這篇文章時早就過了十一月二十二日，不知道那塊招牌的下落如何。除了月山以外，上一個滑雪季最後一次是在神樂滑雪場滑雪，神樂滑雪場原本也預計在二十二日開始營業，最後因為雪量不足而延後。

從月夜野交流道下了高速公路後前往苗場王子飯店。S主編說：「第一次開這條路這麼輕鬆。」因為沿途都沒有積雪，而且車子也很少。

我們轉眼之間就到了目的地。苗場滑雪場周圍每逢滑雪季就熱鬧不已，如今簡直就像一座鬼城，禮品店和滑雪用品出租店不營業情有可原，但連餐廳和咖啡店也幾乎都拉下鐵門，令我們大吃一驚。路上的確沒有人，即使營業，應該也沒有生意，幸好有一家拉麵店營業，也許是路過的卡車司機會來這裡吃飯。

進飯店後，去靠近滑雪場那裡看了一下。滑雪季節時的一整排置物櫃都不見了，原本放置物櫃的地方放了桌球台。

滑雪場的一部分變成了高爾夫球場，在飯店遇到的人幾乎都是來打高爾夫的客人，但我們熟悉的滑雪場區域和高爾夫球場並沒有重疊。這也是理所當然的事，因為如果纜車的鐵塔出現在高爾夫球場上，應該會影響客人打球。

我們三個人慢慢走上滑雪場，總覺得整體看起來比滑雪季時小。他們兩個人也有同感，也許是因為一片白色時無法正確掌握距離感和立體感，看起來會比較大。

曾經讓我們陷入苦戰的凹凸斜坡，這一天看起來也只是普通的青草斜坡，有一片區域長了很多芒草，工作人員把草割成迷宮形狀，可以讓小孩子在裡面玩。除此以外，還有運動區、用飛盤玩的飛盤高爾夫和兒童高爾夫區，應該是為了讓父母在打高爾夫時，小孩子也不會無聊。

幾台人工造雪機排成一行正在造雪，每一台造雪機前都堆起了一公尺高的雪山。苗場也準備在二十二日開幕，應該正為了迎接開幕做準備。我們走過去摸了一下，發現那不是雪，更像是碎冰。

不難想像，靠滑雪場維生的人等待降雪的心情比我們更加迫切。

之後，苗場的人工造雪非常順利，二十二日如期開幕了。真是太好了。

去苗場採訪的幾天後，我帶著學生（我自認他們是跟我學單板滑雪的學生）K川書店的E編和A編，一起去神田的運動用品店。因為他們還沒有自己的滑雪用品，所以要趁早準備，以便在滑雪季開始後就能馬上出發。

運動用品店內沒什麼客人，但新產品琳琅滿目，五花八門。

A編打算買滑雪板、固定器和雪鞋組合，再加上滑雪服，希望控制在十萬圓以內。E編只要買固定器和雪鞋，我會把自己的舊滑雪板送給他。

我要買新的雪鞋。雖然我在二〇〇三年已經買了一雙新雪鞋，但後來發現不合腳，所以上個滑雪季時一直都穿舊雪鞋，今年無論如何都要買一雙新雪鞋。

但遲遲找不到理想的雪鞋，大小剛好的雪鞋，腳背的部分都太鬆了。

E編也陷入了苦戰，但他的情況和我相反，他試每雙鞋，腳背的地方都壓得太緊，會疼痛。

我們比較了各自的腳，嚇了一大跳。原來我們的腳背高度完全不一樣。我的腳背很平，他的卻很高。原來同樣是人，竟然相差這麼多。

最後，我們三個人都找到了適合的雪鞋，E編和A編挑選了Salomon的新款，據說鞋子很輕，穿起來很舒服。

E編說：「平時上下班穿也沒問題。」誰會穿雪鞋上下班，但可見他很喜歡，這一點最重要。

姑且不談E編，A編的預算有上限，所以必須精打細算。沒想到我稍不留神，A編就在店員的推薦下，購買了新款的高級品，而且店員正在向他推薦最高級型號的滑雪板，他幾乎打算購買。雖然與我無關，但我忍不住著急起來。他這樣大手筆買東買西，很快就會超出預算。

「A，你還不怎麼會滑，這種滑雪板就足夠了。」

我向他推薦一萬圓左右的滑雪板。那似乎是針對量販店販賣的滑雪板，有一整排相同款式的滑雪板，沒想到A編不滿意。

「這個一看就知道是便宜貨，我覺得會在滑雪場和別人『撞板』。」

「目前商品很齊全，所以還有很多，再過一個月，就會覺得很划算。反正你就買這種的。」

A編在莫名其妙的地方自尊心很強，似乎對此很不滿，差點又買店員推薦的商品。

我拚了老命阻止，他總算妥協，買了低價的滑雪板（但其實也頗高級），但總共已經買了將近九萬圓。他只剩下一萬多，要買一整套滑雪服，老實說，根本不可能。

最後，A編決定只買新的滑雪外套，褲子繼續穿去年的滑雪褲。

三個人都買齊了新裝備後，一起去吃飯。

「有了自己的滑雪用品，就很想趕快去滑雪。」A編說。

「對啊，沒錯，你也終於成為一個像樣的單板滑雪手了。」我們的心早就已經飛到了雪山，在想像的世界，每個人都是職業滑雪手。

沒想到至今已經過了三個多星期，卻完全沒機會使用新買的滑雪用品，我至今仍然穿著T恤工作。

到底該怎麼解決降雪不足的問題？十二月之後，情況會稍微好轉嗎？希望這篇廢文刊登時，大叔單板滑雪手可以順利滑到雪。

（二〇〇三年十一月）

ちゃれんじ？

期待已久的年度處女滑雪行！

如果不下雪，「大叔單板滑雪手」就沒戲唱了，我還特地買了新的雪鞋——上次的廢文中提到了這件事，而且預料各地滑雪場將比去年晚將近一個月才會開始營業。

我的預料完全正確，不，現實比我的預料更嚴峻。我正在寫這篇廢文的十二月中旬，幾乎所有的滑雪場都無法開張營業，根本不是積雪太少的問題，而是幾乎沒下雪。即使稍微下了一點雪，之後氣溫上升或是下雨，好不容易積起的一點點雪又融化了。

SSAWS歇業之後，狹山滑雪場成為國內最大的人工滑雪場，據說狹山滑雪場內的人工雪都一直融化，造雪工人嘆息說，以前從來沒有遇過這種情況。

北海道的狀況也很異常。往年的這個時期，積雪都超過一公尺，每個滑雪場的所有滑道都可以滑雪，沒想到目前這個時間點，以札幌國際滑雪場為首的北海道各大滑雪場，只有極少數能夠所有滑道都可以滑雪，就連札幌國際滑雪場的積雪也不到一公尺。

連北海道也缺雪，本州的狀況當然更嚴重。我每天都上網透過即時影像瞭解各地滑雪場的狀況，已經不只是失望，而是只能苦笑了。即使稍微看到一點白色，只要有兩、三天氣溫回暖，就立刻露出了地面。

聽說並非只有日本如此，十二月二日，聯合國環境計畫和蘇黎世大學的研究小組發表了令人驚訝的預測結果。根據他們的預測，如果地球繼續暖化，在未來三十年到五十年期間，海拔一千五百公尺以下的滑雪場都會因為降雪量不足而無法繼續經營，到時候瑞士和義大利有超過一半的滑雪場都會被迫歇業。

根據我國氣象廳的預報，以後暖冬的預報會逐漸減少。不要以為暖冬減少是好消息而高枕無憂，暖冬的意思就是冬天比往年更溫暖的意思，但這幾年的冬天都很溫暖，所以就不再適合用這個詞彙。

對滑雪者來說，這些全都是壞消息，但即使悲觀失望也沒用，我毅然決定要來安排今年的處女滑雪行。

既然已經有滑雪場開始營業，去那裡滑雪當然最簡單，但我無法相信那些靠天然雪的滑雪場。

於是我決定去Yeti滑雪場。雖然那裡的滑道是一公里左右的緩斜坡，但我已經有半年沒滑雪了，剛好作為練習。

K川書店的E編和A編也一起去。我在上一篇文章中提到，他們兩個人都買了新的滑雪用品，所以一直迫不及待想試試到底好不好用（但E編使用的是我的舊滑雪板）。

我們搭著A編的車子離開了東京，那是他在七月剛買的新車，他的終極夢想就是開自己的車子帶女朋友去滑雪，然後教女朋友玩單板滑雪，他已經向夢想邁進了一步，接下來只要練好滑雪，再交一個女朋友就可以實現宏願，只是不知道哪年哪月才能夠真正實現。

「好久沒滑了，不知道能不能滑得好。」E編不安地說。

「我覺得好像忘了怎麼滑，不知道會不會有問題。」A編也表示同意。

你們不必擔心，因為你們去年也滑得不怎麼樣。雖然我很想對他們這麼說，但還是忍住了。

總之，終於迎接了新的滑雪季，我們三個人都躍躍欲試，心情也很燦爛，只不過天氣並不晴朗燦爛。沿著東名高速公路漸漸接近裾野交流道時，雨滴打在擋風玻璃上。

「啊，下雨了，怎麼回事啊？」

「不知道山上有沒有下雨。」

「富士山上一定在下雪。」

「對喔，會下雪。氣溫低的地方，雨就會變成雪。」

「沒錯，一定是這樣。」

這不是樂觀的觀測，而是內心的願望，我們只能用願望相互激勵。

但是，願望終究只是願望。當我們抵達Ｙｅｔｉ時，雨越下越大，而且雨滴也很大。

「怎麼辦？」Ａ編長途開車已經累壞了，雙手握著方向盤問道。他的淚水在眼眶中打轉。

看向Ｙｅｔｉ的大門，許多滑雪客正紛紛離開。

我忍不住嘆氣，許多想法在腦海中竄來竄去。已經來到這裡卻無法滑雪太不甘心了，但我也不想淋成落湯雞，更何況下這麼大的雨，滑雪場的狀態會很差，滑雪技術還很差的E編和A編可能會受傷。雖然他們受傷也沒關係，但我要送他們去醫院這件事就很麻煩。即使沒有受傷，也可能會感冒。如果我自己感冒也是無可奈何的事，但如果E編或A編感冒，結果傳染給我，就會很火大。只不過如果不趕快完成今年度的處女滑雪行，就沒題材寫專欄了。不，如果是為了這個目的，我可以改天去其他滑雪場，到時候就不用帶他們了——

「今天就算了。」

他們沒有反對我的英明決斷，他們似乎不希望新買的用品和衣服馬上被雨淋溼。

於是，原本興致勃勃的年度處女滑雪計畫，結果變成了三個大男人毫無意義地開車兜風。但正如我在前面提到，如果沒有滑雪，就沒有題材寫文章，那到底要去哪個滑雪場？不，重點是去哪裡可以滑雪？於是我再度開始確認網路上各個滑雪場的影像。

苗場、神樂・三俣、鹿澤、輕井澤、丸沼高原、玉原、谷川岳這幾個滑雪場可以當天來回，而且可以滑雪，除了神樂・三俣和谷川岳以外，都用人工雪彌補積雪不足的問題。

苗場、鹿澤、輕井澤因為開放的滑道距離很短，不列入考慮。丸沼高原也因為離交流道很遠，所以也不列入考慮。剩下三個滑雪場，都有優點，也有缺點。谷川岳的積雪量還不錯，但距離很遠，而且滑道也不長。神樂．三俣更遠，三俣滑雪場因為積雪量不足，還無法滑雪，但神樂滑雪場幾乎所有滑道都已經開放滑雪。玉原雖然距離比較近，交通比較方便，只可惜開放的滑道並不多。

星期一早晨，我開車出發了，只是還沒有決定到底要去哪裡。其實週末的星期六和星期天的滑雪場狀況比較理想，但我之所以拚命克制想要衝去滑雪場的衝動，是因為我猜想假日一定人山人海。事實上，丸沼高原的即時攝影的確拍到了搭吊椅纜車的民眾大排長龍的影像。

我在晴朗的藍天下，沿著關越高速公路北上。不用擔心下雨，可以感受到終於迎接了滑雪季。

我在開車時仍然猶豫不決。因為我並不瞭解各滑雪場的狀況，聽天氣預報說，星期六和星期天會下雪，但最後並沒有下。這意味著每個滑雪場的積雪量都減少了。

之前已經開放所有滑道的神樂滑雪場不可能突然都不能滑了，但谷川岳就很難說，如果積雪融化，滑道就會變得非常狹窄。玉原滑雪場有人工造雪機，所以應該能夠確保一定的水準。

到底要去神樂．三俁，還是玉原？我在開車時仍然猶豫不決。雖然已經是冬季，但遠方的山上完全看不到白色，和上個月去無雪的苗場滑雪場時看到的景象差不多。

進入群馬縣，也過了赤城，山上仍然看不到白色。我正在想，照目前的情況，玉原恐怕無望了。這時，看到右前方那座山的山頂有少許白色。

太好了，有雪——

雖然不知道白色的部分是不是玉原滑雪公園的範圍，但因為很久沒有開長途車，我已經很疲累了，所以就從沼田交流道下了高速公路。

大約三十分鐘後，我愕然地站在滑雪場門口。因為周圍沒有雪。不，並不是完全沒有，只不過很難稱之為滑雪場。如果要比喻的話，眼前的狀況就像是下雪隔天的操場，也就是說，看到地面的部分更多。雖然搭纜車上去後才是主滑雪場，但眼前的狀況讓人無法期待。

我知道自己失策了，但還是買了纜車票。雖然只有不到一半的滑道能滑雪，票價卻維持原價讓人有點難以接受。

我換好衣服後走向纜車。久違的滑雪讓人興奮不已，但更擔心主滑雪場搞不好只有一個滑道能滑雪。

搭吊椅纜車時眺望下方的斜坡，發現人工造雪機拚命吐著雪，但恐怕還需要相當一段時間，才能讓地面完全變白。使用造雪機當然要花錢，對滑雪場來說，無疑是一筆額外的開支，但如果不開放滑道，客人就不會上門，所以他們也陷入兩難。

終於到了主滑雪場，打量四周後，忍不住感到失望。雖然勉強開放了兩個滑道，但其他地方完全都是泥土，雖然來到深山，但完全就是一個人工滑雪場。

如果再不知足，會遭到天譴，今年的降雪不足似乎很不尋常，在這種狀況下，滑雪場努力設法讓大家有滑道可滑，就應該感激不盡。這麼一想，就覺得能夠接受纜車票維持原價，即使多付點錢也應該。當然，我並沒有多付錢。

目前開放了六百公尺的緩斜坡，和一千五百公尺的中高級滑雪客專用這兩個滑道。因為很久沒滑了，所以先在緩斜坡滑道練習了幾次。原本擔心會忘了怎麼滑雪，幸好比想像中更順利，雖然明知道絕對不可能有這種事，但還是感覺比以前滑得更好了。

我太得意了，於是決定挑戰中高級滑雪客專用滑道。在這裡也滑得很順暢。是喔，原來我已經滑得這麼好了。我有點自我陶醉。事後才知道，是新買的雪鞋的功勞，但當時完全沒有發現這件事，心情愉快地漂亮轉彎。

滑了十次長滑道後，兩條腿已經無法動彈。因為一個人滑，休息時間通常都很短，所以很容易累。想到回程還要開車，於是決定提早離開。

問題在於要怎麼從主滑雪場下去。平時只要沿著斜坡滑下去就好，但前面也提到，如今斜坡上並沒有雪。

我傻傻地站在原地，看到纜車的大叔走出來，笑著向我招手。我忍不住想，果然被我猜對了。

我脫下滑雪板，走向纜車。

「下去也是搭纜車吧？」

「對，因為沒雪。」大叔回答說。

「這種狀況會持續到什麼時候？」

「不知道，這種事只能問老天了。」

「真希望趕快下雪。」

「嗯，但我家親戚很慶幸今年沒什麼下雪。」

我們聊到這裡時，纜車到了，於是我抱起滑雪板搭上了纜車。

那個大叔的親戚也許從事不下雪比較有利的工作，我思考著會是什麼工作，然後發現除了觀光業以外，所有的工作都是不下雪比較有利。

（二〇〇三年十二月）

ちゃれんじ？

大叔單板滑雪手的功與過

上次如願完成了本季的處女滑雪行，幸好之後各地開始降雪，所以大叔單板滑雪手忙壞了，在一個月內竟然滑了十次雪，不難想像各家出版社的編輯生氣地大罵「想要聯絡也完全找不到人，那個傢伙八成又去滑雪了」的樣子。但我決定先享受眼前的快樂再說，之後再來想藉口就好。

天氣的問題真的難以預料，氣象廳的長期預報認為，今年冬天西高東低的冬季形態不會持續太久，但颱風級的低氣壓侵襲北海道後，一直賴在東方海域上空不走，不僅北海道，日本海沿岸和山區一帶都連日下起大雪，不，也許應該說是暴風雪。因為強風導致纜車停駛，陸續有滑雪場含淚宣佈暫停營業。其實有一天，我和K川書店的E編、A編一大早約在東京車站，準備去GALA湯澤滑雪場，一到車站，就聽到廣播傳來「因為強風的關係，GALA湯澤滑雪場今天暫停營業」的消息，結果我們莫名其妙地變成一大早就在喝咖啡。上次去Yeti

的時候也一樣，和E編相約一起去滑雪每次都很慘。我記得之前和他一起去沖繩時，連續三天都一直在下雪，也許他和實業之日本社的T女士一樣，天氣之神討厭他們。

總之，氣象廳的預報失誤，全國的滑雪愛好者都鬆了一口氣，當然我也沒忘記很多人受到了大雪的危害這件事。

總之，今年的滑雪季應該也可以充分享受滑雪樂趣，所以我每天都很開心。不不不，我不會影響到工作，一定會嚴格遵守截稿期，這一點敬請放心。而且我滑雪並不光是為了玩，大家都有目共睹，我這不是乖乖在寫這些關於滑雪的隨筆嗎？所以也是為了採訪，我去滑雪是為了採訪任務。什麼？採訪太多次了？哪有這回事，你們不知道每次都要尋找不同題材有多累。什麼？你們每次都看相同的主題心也很累？呃……對不起。

雖然我不知道要向誰道歉，但這個隨筆專欄漸漸進入了佳境。不，其實真的是沒有題材可寫了。每次都寫「我去滑雪了，滑得很開心」實在太無聊。這次當然也可以寫去各地滑雪的感想，但滑雪技術的變化差不多也就那樣了，沒什麼可以吸引人的話題。

我預感這個隨筆的連載差不多也快走到盡頭了，這次就簡單總結一下，題目就是「成為大叔單板滑雪手的優點和缺點」。

優點・增加了許多一起玩的朋友

我很高興作家二階堂先生和貫井先生找我一起去滑雪，雖然他們玩的是雙板滑雪，但和他們一起滑雪真的很高興。而且，也藉由滑雪和我孫子武丸先生、笠井潔先生拉近了距離，只不過我不知道是透過變態黑研（黑田研二）結交到這些朋友是福還是禍。

缺點・有太多一起玩的朋友

我很高興這些朋友都約我一起去滑雪，但有時候經常會撞期，這種時候不得不回絕其中一方，讓我很痛苦。而且有時候也會和截稿日撞期，這也超痛苦。真的非常非常抱歉，但凡事都要有原則。我是作家，絕對不能不把截稿日當一回事，所以遇到重要的截稿日，就只好請編輯為我延後了。

優點・增加了體力

當作家很容易運動不足，工作時都一直坐著，即使出門，也通常都搭車。雖然我會去健身房運動，但我一直認為自己的腰腿應該變差了。開始滑雪之後，我確信了這件事。真的太可怕了，因為滑雪的隔天幾乎動不了，我知道這樣不行，所以就更加積極去健身房，現在即使滑一整天的雪，肌肉也不會痠痛了，當然也可能純粹只是肌肉變麻木了。

缺點・對體力有過度的自信

雖然滑雪技術稍有長進，但運動能力並沒有突然變得很強，老實說，終究已是四十多歲的大叔，千萬不能得意忘形，認為什麼都難不倒我。比方說，不能小看冰壺，萬一輕敵，會讓自己吃足苦頭。既然是大叔，就應該像個大叔，乖乖在家修身養性。

優點・生活變得有規律

滑雪時通常都是當天來回，早晨六點左右起床，自己開車去滑雪場，滑到傍晚後，再開車回家。因為每次都累得精疲力竭，所以晚上睡得很熟。經常去滑雪，生活當然就變得很有規律，即使不去滑雪的日子也能夠早起，經常一大早就看《我家的節約術》或是《我家的婆媳戰爭》之類的節目。

缺點・工作在生活中占的比例變得不規則

因為生活以滑雪為中心，所以一旦決定明天要去滑雪，無論發生什麼事都必須早早上床睡覺。即使睡不著，也要在床上躺平、閉上眼睛，把截稿的事拋在腦後，結果不去滑雪的日子幾乎都是截稿的死線，變成滑雪、截稿、滑雪、滑雪、截稿、截稿、截稿。我的夢想是能夠戰勝凹凸不平的饅頭山，但如何戰勝日程安排上的截稿日饅頭山也是重要的課題。目前兩者都還無法戰勝，不停地跌跌撞撞。

優點・變得耐寒

我原本就不怎麼怕冷，現在好像更加耐寒了。因為滑雪場的最高氣溫經常只有零下五度，風一吹就更冷了，但我通常在滑雪服內只穿一件衣服，下半身就只穿滑雪褲而已。在暴風雪中搭纜車時，真的覺得全身都快結冰了。在暴風雪中快速滑雪時，鼻子和耳朵都好像快掉了。很多在北國出生的人搞不懂我們這些人，為什麼要在冬天特地去那麼寒冷的地方，其實我自己也搞不太懂。但回到東京之後，再冷的日子都覺得很溫暖，所以自從滑雪之後，我從來沒穿過大衣。

缺點・變得不耐熱

這並不是指夏天的熱，而是冬天的暖氣，或是因為天氣太好，滑雪場的氣溫比想像中更高的情況，也就是那種原本以為會很冷，做好了防寒對策，結果卻很熱的狀況，每次一遇到，馬上就滿身大汗，渾身無力。我很害怕遇到這種情況，所以都穿得特別少。嚴格來說，我不是不耐熱，也許應該是我很怕熱。

優點・擴大了工作的範圍

這不是很大的優點嗎？更何況我現在就是寫有關滑雪隨筆的連載，不久的將來，只要有機會，也許我會寫有關滑雪的小說。也就是說，滑雪增加了我身為作家的底蘊，所以這是如假包換的工作，滑雪板、雪鞋、固定器、滑雪服以及其他各種配件、纜車票的費用、交通費、餐費當然也都能夠作為經費扣除。假設我約了一個女生當我的助理一起去滑雪，她的費用當然也可以作為經費扣除，如果不行，就絕對有問題。

缺點・工作室的空間變小了

滑雪工具的體積都很大，而且滑雪板還需要保養，要打蠟，還要把蠟擦乾淨，真的很麻煩，所以我在工作室挪出一塊空間放滑雪板，結果原本就很小的工作室變得更加擁擠。有時候我還會把弄溼的滑雪服和配件晾在工作室，所以工作室內總是很潮溼，很不舒服，手套吸了汗水發出惡臭時，真的很無言。

優點・話題增加了

主要是喝酒的時候。去酒店喝酒時，和年輕的小姐無論聊什麼都沒問題，但如果聊單板滑雪，她們就會感到很新鮮，也會顯得我很年輕（雖然會說「顯得很年輕」就代表我已經是大叔了），反正我覺得比聊高爾夫帥氣多了。雖然到目前為止，並沒有因此得到女生的歡心。

缺點・話題太偏頗

不光是偏頗，而是我只聊滑雪，編輯也都漸漸不再掩飾臉上不耐煩的表情。起初那些編輯還說「東野先生，你太厲害了，我沒辦法像你一樣」之類的話吹捧一下，最近反應都很冷淡。即使我口沫橫飛地和他們分享滑雪的暢快感覺，他們也只是露出不爽的表情，似乎在說「怎麼還沒說完？」我覺得很不OK，編輯必須努力營造讓作者可以心情愉快地動筆寫稿的氣氛，即使作者說的話很無聊，即使已經聽過好幾次，也必須說「是喔，真厲害」或是「太了不起了」之類的話，假裝很佩服的樣子，而且當作者越說越開心時，絕對不能打斷作者，開始談什麼工作的事。這是編輯必須遵守的規則。

還有一件事，我總覺得那些酒店小姐最近的態度似乎也和之前不太一樣了，雖然她們的笑容向來很虛假，但現在好像根本不想掩飾了。

有時候在我分享滑雪趣事時，那些人回應「東野老師，你好厲害」時就像在背台詞。前幾天，我去酒店喝酒時上廁所，偷聽到小姐在談論我。

「那個大叔又開始說滑雪的事，真是被他煩死了，他一旦開始說，就沒完沒了。」

「而且每次說的內容都一樣。」
「沒關係啦，就讓他說吧，我們只要附和一下就好，然後想其他事。」
「也對。」
嗯，我還以為她們很認真聽我說話，原來只是左耳進，右耳出。這樣很不妙，根本沒辦法吸引女生，但我又沒有其他話題可聊，所以最後還是聊滑雪。真是傷腦筋。
但仔細一想，覺得有問題。我是客人，聊我喜歡的話題有什麼問題？而且我去酒店本來就是為了聊天，酒店小姐不就是該陪客人聊天嗎？即使聊天內容很無趣，即使已經聽膩了，不也都應該假裝聽得入神嗎？喂，聽我說嘛，要不要聽我吹噓？
（二〇〇四年一月）

ちゃれんじ？

差不多就這樣了

經常有人問我，為什麼會這麼入迷？單板滑雪到底哪裡好玩？我也知道別人很納悶，因為我廢寢忘食，拚了老命把稿子趕出來，然後天還沒亮就出家門，一直滑到兩條腿又痠又脹，別人一定覺得其中有什麼極大的樂趣。

單板滑雪真的很好玩，但應該不只是如此而已，這個世界上有太多更好玩的事。

我相信真正吸引我的，是「進步」這件事。

老實說，我已經是大叔了，正邁向五十大關的人，是如假包換的中年。變成這樣的大叔之後，挑戰新的事物，然後在學習的過程中不斷進步的機會極端減少，反而很多以前可以做到的事，現在已經做不到。

所以，即使是再小的事，能夠覺得「今天完成了昨天做不到的事」，就會讓我樂不可支，單板滑雪又是一項可以親身感受到些微進步的運動。尤其在初學階段，每次去滑雪，就可以感受到進步了一點點，同時會瞭解自己的課題，產生下次一定要克服的動力。

我相信很多其他的事也能夠帶來相同的快樂。比方說，高爾夫球就是激發很多男女老幼進取心的運動，我非常瞭解熱愛高爾夫球的人的心情，只是對我來說，熱愛的對象剛好是單板滑雪而已。

我到底進步了多少？我開始玩單板滑雪大約兩年，這個連載要結束了，所以我打算用這篇文章作為總結。

「到底要用什麼內容作為專欄的總結呢？」我問。

「如果你願意挑戰半管，當然最理想。」

T女士一臉貪心的表情說。「最理想」是什麼意思？是指隨筆的文章可以吸引人嗎？雖然我能夠理解，但要我挑戰半管滑雪太強人所難了，老實說，我有心理障礙，如果這次再撞到臉，不知道鼻骨會怎麼樣。

「還是別挑戰半管，萬一發生意外就慘了。」

S主編插嘴說，他似乎回想起之前玩冰壺發生意外，送我去醫院時的事。

「那就挑戰飛包。」

T女士再度說道。飛包就是利用跳台飛起來，但在落地時，仍然會有受傷的危險。

「沒有像樣點的主意嗎？既安全，看起來又帥氣的主意。」我浮躁地說。

「那單花怎麼樣？」T女士問。

「單花……單板花式嗎？」

所謂平地花式，就是花式滑冰的單板滑雪版，在斜坡上滑行的同時旋轉或是跳躍。我的確在滑雪場看到不少年輕人在玩單板花式，而且也很引人注目，看起來就是很會滑的樣子，最重要的是很帥。

「那就來試試。」雖然我感到不安，但還是決定接受這個提議，「但你們也要一起學。」

T女士和S主編聽到我的指示，立刻露出了緊張的表情。

一月的最後一天，我們三個人來到GALA湯澤滑雪場。自我摸索很難學會單板花式，所以我們決定請教練來上課。這次請的是去年也曾經為我上課的松村圭太教練，他還記得我，對我說：「《湖邊凶殺案》很好看。」太開心了。

首先請松村教練看一下我的滑行，確認我的技術。松村教練提出幾個需要改

Photograph by Shinji Akagi

這是名為板尾平衡的技巧，光是做出這個動作就超級難。

進的地方後稱讚我說：

「你滑得很好，和去年判若兩人。」

教練都很會稱讚，也許是因為他們最大的目的就是讓學員愛上單板滑雪。雖然明白這一點，但心情還是很暢快。

之後，我們前往初級者用的斜坡，開始上單板花式課。雖然那個斜坡很簡單，即使閉著眼睛也可以滑，但回想起第一次在這裡滑雪時，覺得坡度非常陡，有一種恍如隔世的感覺。

T女士和S主編也一起加入，我們三個人先上了基本課程，讓滑雪板的其中一頭翹起來，或是利用壓滑雪板的彈力跳躍。完成之後，教練又教了邊滑邊旋轉或跳躍。

「接下來試試在跳躍的同時旋轉一百八十度。」

松村教練首先示範，他在坡道上咻地滑行，在中途跳了起來，旋轉半圈後落地，看起來很簡單。

但外行要做相同的動作又是另一回事。東野、T女士和S主編三個人都接連跌倒，我忍不住想起初學滑雪的那段日子。

「好，很好，這樣就對了。那接下來練習倒轉。」

聽到松村教練這麼說，我忍不住大吃一驚。不不不，一點都不好，而且這樣完全不對。我們三個人都一直跌倒，根本沒有完成教練要求的動作。

但松村教練根本沒有發現我們的慌亂，應該說他根本無視我們的慌亂，繼續教我們新的內容。我們三個人完全做不到他要求的動作。幸好剛下過雪，雪質很柔軟，否則我們一定全身瘀青。

「今天我很想教你一個新的技巧。」松村教練在搭吊椅纜車時對我說。

「是嗎？」

「對，所以我會教得比較快，這樣才有時間教你那個動作。不好意思。」

「原來是這樣。」

原來松村教練為了讓我這個大叔單板滑雪手學會一個動作，所以才會教得這麼快，真是太感激了。我感動不已。既然這樣，我就必須好好努力，即使T女士和S主編學不會，至少我要學會。

松村教練向我傳授的技巧如下。

· 首先筆直滑行。

· 然後讓滑板前端浮起（這個技巧稱為板尾平衡），開始旋轉。

· 旋轉180度後，利用滑雪板的彈力跳躍。

· 再旋轉180度落地。

必須連續完成這一系列動作。松村教練示範時，會覺得很簡單，但是——

我無論試了多少次都無法完成。好不容易完成了前幾個動作，卻在最後跳躍時跌倒。T女士和S主編也一樣。之前我幾乎沒看過T女士跌倒，但這兩個小時一次看個夠。

「還差一點，只要再稍微加把勁就可以完成了，加油。」

在教練鼓勵下，我跌倒了仍然繼續站起來練習。在即將滑到斜坡底時——我突然做到了。那些對半管滑雪和飛包都駕輕就熟的人可能會笑我，但當我順利落地時，忍不住歡呼起來。那是大叔單板滑雪手再次「進步」的瞬間。

我似乎終於掌握了訣竅，之後多次挑戰，成功率超過百分之六十。改變身體的方向（換站姿）時，也終於能夠完成這個動作。

「只要把各種技巧結合，就會有無數變化，請你繼續加油練習。」

聽到松村教練這麼說，我用力點頭。我真的很慶幸自己學了這些技巧，學會一件事的喜悅太棒了。

無論從事任何運動項目，都沒有所謂的終點。一旦達到某個目標，一定會出現新的目標。只要持續走在這條路上，就絕對不會厭倦，厭倦就是失敗。

我真的很慶幸有機會認識單板滑雪這項運動。如果沒有在那個冬天遇到當時擔任《單板滑雪手》主編的M先生，就不可能有這麼充實的運動生活。如果M主編的徒弟T女士沒有邀約我，也許我到現在還在說，「希望以後有機會玩單板滑雪」。如果沒有S主編和我一起挑戰，我可能會覺得「像我這種大叔去玩單板滑雪太丟臉」而放棄。如果沒有松村教練和其他教練的協助，我也許無法像現在這

Photograph by Shinji Akagi

和松村圭太教練握手。由衷地感謝他讓我這個大叔成為真正的單板滑雪手。

樣輕快地滑雪。

我再度認識到，認識一項運動也是和其他人產生交集。我發現在從事單板滑雪這項運動後，經常有機會和各種不同的人像小孩子一樣玩得不亦樂乎。我藉由單板滑雪這項運動瞭解到，大叔的內心永遠都希望找回童心。

這次挑戰時，請了職業運動攝影師拍下了我滑雪的樣子。在此之前，我從來沒有看過自己滑雪的樣子，所以很期待拍出來的成果，但同時也感到不安。因為很擔心自以為很不錯，但看到照片後大失所望。如果真的這樣，只能認為又有了新的課題。

職業攝影師的要求很嚴格，會說什麼「你從這裡開始滑，繞過那裡的樹叢，滑過來時讓雪飛起來，速度盡可能快一點」，似乎忘了我根本是個業餘滑雪手。

但也拜攝影師所賜讓我自以為是職業滑雪手，卯足全力滑了又滑。

各位中年大叔，如果你覺得「搞什麼嘛，這種程度我也行」，沒錯，你真的可以。

（二〇〇四年二月）

photograph by Shinji Akagi

photograph by Shinji Akagi

〈大叔單板滑雪手殺人事件〉

1

Y縣八比高原滑雪場——

桐島跌倒時，聽到身後傳來太太奈美大笑的聲音。

「有必要笑這麼大聲嗎？」桐島雙腳用力站了起來，拍了拍租來的滑雪服上的雪。「我第一次滑雪，難免會跌倒。老師，對不對？」

被桐島稱為「老師」的是一個年輕的教練。

「是啊，沒問題。單板滑雪和雙板滑雪不同，都是從跌倒中逐漸進步。」教練笑著鼓勵他。

「是喔，但我之前學的時候沒有這樣一直跌倒。」

「妳是不是想要說妳很年輕！」桐島挺直了腰，「話說回來，還真是累了，腿都痠了。」

「那今天就先練習到這裡。」教練說，「你已經會在緩和的斜坡上落葉飄了，之後就多練習，熟悉這種感覺。」

「希望有足夠的體力可以讓我多練習。」

桐島說到這裡時，一個單板滑雪手停在離他們十公尺的地方。他穿著黑色滑雪衣，戴著反光鏡面的滑雪鏡。

桐島瞥了一眼那個男人後，將視線移向妻子。

「妳有什麼打算？我想休息一下。」

「我要再去滑一下，都還沒滑過A滑道。」

「妳要去那麼陡的斜坡嗎？」桐島皺起眉頭，「那裡簡直和懸崖差不多。」

「坡度三十度才沒那麼可怕，」奈美看著教練問：「老師，對不對？你可不可以陪我滑一次？」

「我沒問題。」

「請你務必陪她。」桐島也拜託道，「她這個人嘴很硬，我不放心她一個人去那裡滑雪。」

「應該不會啦……那就陪妳滑一次。」

「太好了。」奈美很興奮。

「那我去餐廳等妳。」

目送他們離開後，桐島才慢慢滑了起來。

他在餐廳門口解開滑雪板時，剛才那個滑雪客走向他。

「教授，你滑得很好嘛。」

桐島隔著滑雪鏡瞪著對方說：「不是叫你白天不要靠近我嗎？」

「沒有人看到，而且我想趕快完成交易。」

「這件事我們去沒有其他人的地方慢慢聊，今天晚上怎麼樣？」

「只要你方便，我沒問題。」

「那就來決定見面的地方。」

對方聽到桐島指定的地點後愣了一下，「你是認真的嗎？」

「你有什麼意見嗎？」

「不，我沒問題。好，那就九點在那裡見。」男人拿著滑雪板離開了。

桐島正在餐廳喝咖啡，奈美回來了，而且還帶了三個人。桐島不認識那三個人，看他們的鞋子發現他們都是單板滑雪客。

「老公，真是太巧了，你一定猜不到我遇見了誰。」奈美興奮地說。

「是妳認識的人嗎？」

「我認識他，但他不認識我。這位是推理作家東野先生，他是東野圭吾欸。」奈美指著高個子的男人說，男人留著長髮，因為經常滑雪的關係，臉上曬出了滑雪鏡的痕跡，難以判斷年紀。

「是喔。」桐島完全沒聽過這個名字，但還是露出驚訝的表情，「真是太巧了。」

聽奈美說，另外兩個人是出版社的人，其中那位男士似乎是主編。

「我們搭同一輛纜車，聊天後才知道。老公，你不是知道我在看那本《湖邊凶殺案》嗎？東野先生就是那本書的作者。」

「原來是這樣。」

桐島記得那本書，奈美當時說：「這本小說很無聊，看了很不過癮。」

「我們在纜車上很聊得來，所以就一起滑下來了。」

桐島看著那位作家說：

「希望我太太沒有造成你們的困擾。」

「不會，沒想到會在這裡遇到書迷，我也很高興。」作家露出無憂無慮的笑容。奈美似乎自稱是他的書迷。

「東野先生來這裡採訪，老公，既然這麼巧，今天晚上要不要和他們一起吃晚餐？東野先生他們已經答應了。」

「如果不會打擾兩位的話。」作家說話時很矯情。

桐島想了一下後，對妻子點了點頭說：

「不錯啊，就這麼辦。」

「太好了。」奈美舉起仍然戴著手套的雙手，做出勝利的姿勢。

桐島看著她忍不住想，也許是大好機會。

2

隔著餐廳的窗戶，可以看到在夜場燈光下滑雪的人。餐廳內的燈光調得很暗，所以雪面反射的光有點刺眼。

「原來你在研究電子媒體，所以應該可以分享很多有趣的事。」作家對桐島的職業產生了興趣，這件事令桐島感到意外。他一直以為作家都是典型的文科人。

「你是來這裡工作嗎？」姓高中的女編輯問。

「不，我來渡假，因為我太太說想來滑雪。」

「你不是說你也想挑戰嗎？」奈美反駁說，「我先生是九州人，在今天早上到這裡之前，從來沒有親眼見過積雪，所以也從來沒有滑過雪。」

「是喔，如果之前一直住在九州，很有可能。」主編點了點頭。

「我失陪一下。」奈美起身離開了座位，當她走遠後，作家探出身體說：「你太太很年輕。」

「她今年二十五歲。」桐島據實以告，「比我整整小二十歲。」

「是喔。」作家的身體向後仰，「真令人羨慕。」

「呃，東野先生，那你呢？」

「我是單身，」作家有點不悅，「我前妻拋棄我了。」

「怎麼可能？」桐島笑了起來，但作家沒有笑，那兩位編輯也尷尬地低下了頭。

奈美回來了。

「要不要去酒吧？酒吧也可以看到滑雪場。」

「好主意，」桐島看著他們三個人問：「要不要去？」

「好啊，好啊。」作家站了起來，「很多滑夜場的人都是高手，搞不好可以偷學幾招。」

在餐廳結帳時，大家都搶著付錢，最後決定各付各的。走出餐廳後，桐島對妻子說：

「妳先和大家一起去，我有事要處理一下。」

「現在嗎？」

「因為有一份報告忘了傳，三十分鐘左右就可以搞定了。」

「嗯，好吧。」奈美露出有點訝異的表情點了點頭。

桐島和他們分開後，立刻跑了起來。他走進電梯，按了樓層的按鈕。他覺得電梯速度太慢了。

十五分鐘後，桐島出現在八比山的山頂上。許多滑雪客都沿著陡坡滑了下去，他瞥了一眼，走向山頂的餐廳。餐廳已經打烊了，周圍很暗。

一個男人站在那裡抽菸，他似乎看到了桐島，把香菸丟在雪地上。

「你來這種地方沒問題嗎？」那個人的聲音中帶著笑聲，「這裡最陡的坡度有三十五度。」

「不用你擔心。」

「我很為你擔心啊，因為我擔心你下不去。」

「我不會下不去，」桐島從滑雪服口袋裡拿出裝了消音器的手槍，然後扣下了扳機，「你才下不去。」

桐島走進酒吧時，奈美正和作家他們談笑風生。她正在喝馬丁尼，桐島點了威士忌加冰塊。

「怎麼那麼久？」她看著丈夫問。

「我不是說三十分鐘嗎？」他看了一眼手錶說，「才二十五分鐘而已。」

「你真忙啊。」女編輯說。

「例行的公事。對了，夜場也快結束了吧？」桐島看著窗外，吊椅纜車已經停駛，「這麼晚了，沒人想搭吊椅纜車吧。」

「聽說夜場的時候纜車不開，所以如果要去山頂，就只能搭吊椅纜車。」

「是喔，反正和我無關，因為山頂上不會有初學者的滑道。」

「白天的時候可以去滑初學者專用的迂迴滑道，但夜場時好像就沒有了，」女編輯說，「所以只能滑高級玩家的滑道了……」

「果然和我無關，晚上還是在這裡就夠了。」他笑著舉杯喝酒。

3

隔天早晨，桐島和奈美一起去吃早餐，發現餐廳內的人議論紛紛。那位推理作家和主編也在那裡，但不見女編輯的身影。

「發生什麼事了？」桐島問作家。

「聽說發生了命案，」作家小聲回答，「好像在山頂上發現了屍體，警察已經來了。」

「殺人？不會吧？」桐島瞪大了眼睛，「為什麼會在山頂？」

「不知道。」作家偏著頭，「高中正在瞭解情況。」

大家心神不寧地吃著早餐時，女編輯回來了。

「遭到殺害的是一名四十歲左右的男性，被槍打中胸口，目前正在確認他的身分。屍體是在山頂餐廳旁發現的，腳下並沒有滑雪板，好像是站在餐廳旁。」

「滑雪板？四十歲左右？」作家的反應很奇怪，「大叔滑雪客遭到殺害了嗎？目前有沒有鎖定凶手？有沒有什麼線索？」

「這就不知道了……」

「妳去問刑警啊。」

「刑警怎麼可能透露這種事？」

「妳可以報上我的名字，就說當代首屈一指的推理作家會協助他們辦案，然後問他們目前掌握了哪些線索。」

「如果我說這種話，不要說是你，連我都會被當成腦筋有問題。先不談這個，今天有什麼打算？據說上午除了警方相關人員以外，其他人都不能搭纜車，上面的吊椅纜車也不開，所以普通民眾不能去山頂。」

「搞什麼嘛，這樣不是就不能滑雪了嗎？」

「下面的吊椅纜車會開，所以可以在飯店前的滑雪區玩。」

「只能在那片和緩的斜坡滑嗎？」作家皺著眉頭。

「還有半管也沒問題，」女編輯雙眼發亮，「要不要挑戰一下？」

「嗯。」作家發出低吟。

「就在和緩的斜坡滑吧，」主編似乎很緊張，「如果不小心受傷，其他出版社的人會恨我們。難道你們忘了冰壺的悲劇了嗎？如果這次再撞到鼻子，就沒辦法恢復原狀了。」

「冰壺？鼻子？」奈美一臉錯愕。

「因為之前發生過很多事。」主編擠出笑容。

最後，作家決定在飯店前的緩斜坡滑雪，桐島和奈美也決定在那裡練習滑雪。今天由奈美擔任教練，雖然是非假日，但因為不能去上面的滑道，所以緩斜坡上擠了很多人。

中午過後，纜車終於重新開放，滑雪客都紛紛上山了，桐島他們見狀後，回去飯店吃午餐。

午餐後，桐島決定在房間內休息一下。奈美說要和作家他們一起去滑雪，於是去了滑雪場。

在桐島抽完第二支菸時，響起了敲門聲。打開門一看，兩個陌生的男人站在門口，兩個人都穿著防寒外套。

「請問是桐島先生嗎？」體型比較胖的男人出示了警察證，「幸好你在房間，原本還擔心你去滑雪了。」

「請問有什麼事？」

「想向你請教一下有關片岡次郎的事。」

「片岡？他是誰？」桐島掩飾著內心的慌亂問。

「你不知道？是這樣啊。」刑警抓了抓頭，「可以進去聊一聊嗎？」

「請進，只是房間內很亂。」

桐島請兩名刑警坐在沙發上，自己坐在床上。

「我想你應該知道發生了殺人命案，被害人就是片岡先生，他昨天入住了這個飯店。」胖刑警說。

「但我並不認識他。」

「片岡先生的房間有被人翻動的痕跡，八成是殺了他的凶手所為。先不管這些事，有一名偵查員發現了有趣的東西。」

「什麼東西？」

刑警伸手在起霧的玻璃窗上寫了幾個字。

「片岡先生的房間窗戶上，也有像這樣用手指寫的字，雖然一眼看不出來，但對著窗戶玻璃吹氣後，就可以隱約看到上面寫的字。目前認為是片岡先生在房間時隨手記錄的內容。雖然已經看不太清楚，但總算解讀出其中幾個字。」

刑警用手指在玻璃窗寫下「冰鎬　9：00　K·i·r·i」這幾個字。

桐島感覺到自己心跳加速，但努力保持面無表情。

「『冰鎬』是山頂那家餐廳的名字，所以感覺像是九點和別人約在那裡見面。問題在於『K·i·r·i』這個字，後面的字看不清楚，所以我們猜想會不會是人名，也就是以『K·i·r·i』開始的名字。向飯店瞭解情況後，發現目前入住這家飯店的客人中，只有你的名字是以『K·i·r·i』開頭，所以就來向你瞭解一下情況。」

「原來是這樣，」桐島點了點頭，「但我不認識這個姓片岡的人。」

「真的嗎？」

「我怎麼會說謊呢？」

「那可以冒昧請教你昨晚到今天早上做了些什麼嗎？」

「不在場證明嗎？沒問題，我有好幾位證人。」桐島用力深呼吸。

4

那天晚上，桐島也和作家他們一起吃晚餐。是他讓奈美邀請他們一起用餐，他當然別有居心。他猜想刑警一定去向作家他們確認了自己的不在場證明，他想知道刑警到底問了些什麼。

「關於那起命案，」開始吃飯後不久，作家就主動提到這件事，「凶手是在昨晚夜場時犯案，這件事千真萬確。」

「是喔。」桐島看著作家，「是這樣啊，你聽誰說的？」

「刑警說的。」作家很乾脆地回答，「傍晚的時候，刑警來我房間找我，也去找了他們。」作家看向兩名編輯。

「要不要讓我猜一下刑警的目的？」桐島努力露出平靜的表情，「是不是向你們確認我的不在場證明？」

他可以感受到坐在旁邊的奈美繃緊了身體，她問：「你的不在場證明？為什麼？」

「只是因為巧合。」

桐島把和刑警之間的對話告訴了妻子。他之前沒有告訴妻子刑警來找過他。

「既然這樣，你為什麼沒有告訴我？」

「我現在不是告訴妳了嗎？沒事啦，而且警方應該很快就會知道和我無關。」桐島說完，看向作家和編輯，「刑警怎麼問你們？」

「你怎麼回答？」

「問了昨晚夜場時的情況，」作家回答，「確認我們是不是一起吃晚餐。」

「我當然回答在一起吃晚餐，但我並沒有說你吃完飯後，曾經稍微離開了一段時間。」

「就是你說要回房間處理公事的時候。」女編輯補充說。

「去酒吧之前，你離開了三十分鐘左右。」

「只有二十五分鐘。」桐島立刻糾正，「早知道會發生這種事，我就不離開了，因為也不是那麼緊急的事。」

「但只有二十五分鐘不可能犯案。」主編說，「我相信警方只要調查之後，就會清楚瞭解這一點。」

「不，在理論上，只要有二十五分鐘就夠了。」作家反駁說，「我剛才和高中兩個人實際滑了一次，搭吊椅纜車到山頂大約十二分鐘，行凶只要一、兩分鐘就夠了，剩下十二分鐘。」

「因為換衣服和移動需要時間，所以就算花了十分鐘，剩下兩分鐘的時間，就可以從命案現場滑下來。」

「有辦法兩分鐘就滑完那個滑道嗎？」主編偏著頭。

「剛才東野先生剛好花了兩分鐘的時間滑下來。」女編輯說，「雖然滑得慘不忍睹。」

「慘不忍睹這種話就不必說了。」

「東野這個速度狂慘不忍睹地滑下來也要兩分鐘，普通人應該要更久吧？」主編認真思考後說，「桐島先生，不好意思，請問你的滑雪技術……」

「應該不可能，今天也在我太太軟硬兼施下，好不容易才滿身大汗地從最和緩的斜坡滑下來。」

「我先生不可能從A滑道的斜坡滑下來，」奈美在一旁說，「即使有辦法滑下來，應該也要好幾十分鐘。」

「好幾十分鐘也滑不下來，」桐島說，「更何況我根本不會想去滑那種地方。」

「警察也不是傻瓜，應該已經調查了桐島先生的實力。」作家說，「到時候就會知道，即使你曾經短暫離開，你也不可能在那段時間犯案。別擔心，你說的沒錯，很快就會證明你沒有嫌疑。」

「雖然你這麼說，但你也有點懷疑我吧，所以才在滑的時候特地計算了時間。」

「不不不，純粹只是出於好奇而已。既然是推理作家，遇到這種情況時，就忍不住想實驗一下。」作家慌忙解釋。

「刑警之所以想確認桐島先生的不在場證明，是因為窗戶玻璃上留下了『Ki:r:i』的文字，不是嗎？」主編問，「但如果只是因為這樣就懷疑桐島先生未免太奇怪了。這裡是滑雪場，看到『K:i:r:i』的話，通常不是會想到天氣現象的

『霧』嗎？」

「因為他們沒有線索，所以才會不放過所有的可能性吧？但對我來說，真的是無妄之災啊。」桐島露出篤定的笑容。

「不知道遭到殺害的是什麼人？」主編小聲嘀咕。

「聽說是自由記者，」女編輯回答，「但好像是狗仔。」

「狗仔向來被人討厭，應該樹了不少敵人吧。」作家說。

晚餐後，桐島和奈美一起回了房間。

「你為什麼沒告訴我？」她一臉生氣的表情問。

「因為我覺得不重要，而且也不想破壞開心的氣氛。」

「你對我隱瞞，才讓我更不開心。你每次都這樣，每次都把我當成小孩子……」奈美的眼淚在眼眶中打轉。

會這樣生氣，不就是小孩子嗎？桐島很想這麼說，但還是忍住了。

「對不起，下次一定告訴妳。因為我第一次被當成殺人命案的嫌犯，所以也有點不知所措。」

不知道是不是「嫌犯」這兩個字太刺激，奈美皺起了眉頭。

「真的和你沒關係吧?」

「當然啊,妳在說什麼啊。」桐島用開朗的語氣回答,「還是妳覺得我有辦法從那個陡斜坡上滑下來?」

「我不覺得。」

「對不對?妳比任何人更清楚知道這件事。」

「也對,對不起。」

不一會兒,奈美就上床睡覺了。桐島為妻子蓋上毛毯,悄悄走出房間。他要去泡溫泉。

他在奈美打工的咖啡店認識她,聊天之後,發現她是桐島任職那所大學的學生,但奈美讀的是文學系,他們在學校內完全沒有交集。

桐島等奈美一畢業,就立刻向她求婚,她也當場答應。雖然她的父母很在意他們的年齡差距,但桐島有自信可以讓她幸福。

結婚至今兩年,一切都很順利。今年新年時,他們還決定準備生孩子。沒想到片岡就在這個節骨眼出現了。

片岡正在採訪去年引起廣泛討論的付費學生雜交派對,他找到了當初參加雜交派對的人，想瞭解派對的情況。在採訪過程中，注意到幾年前曾經參加雜交派對的一名女性。因為他得知當時是大學生的那名女性目前是某位教授的太太。

不用說，那名女性就是奈美，那位教授就是桐島。

片岡提出要和桐島做交易，他說不會公開奈美的事，但要桐島支付一千萬圓。

桐島不是拿不出這筆錢，但沒有人能夠保證，片岡之後不會用相同的手法繼續勒索，最重要的是，桐島無法忍受片岡這種卑劣的男人知道奈美不堪回首的過去。

在決定這次旅行時，桐島就下定決心要殺了片岡。有一件事，他一直瞞著奈美，他覺得只要利用這一點，就不會懷疑到自己頭上。正因為這樣，片岡在窗戶玻璃上留下的文字讓他措手不及。

「桐島先生。」

他走進大浴場，聽到朦朧的熱氣中有人叫他。定睛一看，原來是那位作家在泡溫泉，主編也在旁邊。

桐島緩緩把左腳伸進浴池。

「沒想到你第一次來滑雪，就遇到這麼倒楣的事。」作家對他說。

「就是啊，幸好我還不太會滑，如果我像你們那麼會滑，應該會更加遭到懷疑吧。」

「刑警現在應該在拚命調查你是不是真的不會滑雪。」

「不管他們怎麼調查都沒關係，如果想滑得好，必須在冬天去滑雪場練習，我身邊的人都知道我根本沒這種時間。」

「原來是這樣，那明天要不要和我們一起滑？現在即使你練出一副好身手，也完全不會有任何問題。」

「我當然沒問題，只是擔心會拖累你們。」

「沒關係，主編說他腰很痛，所以說明天要去初級者的斜坡滑。」

主編在作家身旁露出慚愧的笑容。

「我很樂意奉陪。」桐島也露出親切的笑容。

5

隔天吃完早餐，桐島和奈美一起走去滑雪場更衣室，發現作家他們已經換好衣服等在那裡。

「你們真早啊。」

「昨晚似乎下了不少雪，所以想早點搭纜車，體會一下新雪。」作家說。

「原來是這樣，但像我這種新手，應該也無法瞭解新雪好在哪裡。」桐島說著，從置物櫃中拿出自己的滑雪板。

來到滑雪場，他跟在大家身後走向纜車時，一個男人叫住了他。那個男人就是第一天教桐島滑雪的教練。

「昨天警察來找過我。」教練壓低聲音說，「他們來問我你滑雪的技術。」

「是喔，你怎麼回答？」

「我回答說，你是初學者。他們一開始好像很懷疑，似乎覺得你是不是假裝不會滑雪。」

「那你怎麼說？」

「我回答說我當教練這麼多年，看得出是不是假裝，你絕對是初學者，他們這才終於接受了我的說法離開了。我這樣回答沒問題吧？」

「沒問題，你如實回答就好。」

「是嗎？那就太好了。」教練露出鬆了一口氣的笑容。

搭上纜車後，桐島把和教練的對話告訴了作家和其他人。

「刑警果然懷疑我的滑雪技術。」他笑著說，「但想證明自己真的不太會滑意外的很難。」

「嗯，通常不需要證明這種事。」作家說。

「如果要證明自己很會滑，只要像你一樣實際滑一下就好。」

「是啊，因為他們兩個人都不願證明我滑得很好。」作家斜眼看著女編輯和主編。

「不是啦，」主編咳了一下，「如果要我證明東野先生很有膽識，我隨時可以證明。」

「這種說法讓人聽了很不爽。」

「在大學當教授，」女編輯看著桐島問：「不需要去外地出差嗎？」

「有啊，偶爾會有，」桐島回答，「但我很少去出差。」

「但偶爾會去吧。」

「即使要去，也都是當天來回。」桐島說完，看著她的臉說：「至少沒有時間練習滑雪。」

「老公，」奈美不解地問：「你為什麼說這些？」

「高中女士似乎懷疑我去外地出差時偷偷練習滑雪。」

「不，我不是這個意思。」女編輯搖著手。

「沒關係，我沒有生氣，只是真的沒有時間練習，我太太最清楚這一點。」

「是啊。」奈美點了點頭，「至少和我結婚之後，他冬天時從來沒有出差過。」

「冬天？」作家立刻有了反應，「所以冬天以外有嗎？」

「我忘了是六月還是七月的時候，」奈美有點生氣，「每年有兩個星期左右會去新潟的大學開特別的課程，對不對？」

妻子徵求桐島的同意，他輕輕點了點頭。

「因為我和那所大學的人共同進行研究，受他的邀請。」

「新潟嗎？」作家偏著頭。

「即使是新潟，六、七月也已經沒雪了，而且剛才教練也說了，即使想要假裝是新手，內行人一看就知道了。」

「那倒是。」作家點了點頭。

纜車到了山頂。五個人來到滑雪場，穿上滑雪板。

「那就出發吧。」作家從初學者滑道滑了下去，兩名編輯也緊跟在後，奈美也跟在後方，桐島也跟著滑了起來。

桐島不時跌倒，不時用落葉飄這種初學者的技巧沿著緩斜坡滑了下去，看到作家他們和奈美在中途等他，他緩緩滑到他們面前。

「你滑得很好啊，你第一次滑，能夠滑這樣已經很不錯了。」作家吹捧道。

「不，我已經盡了最大的努力。」事實上，桐島的確已經開始流汗了。滑了兩次初學者的長滑道，第三次搭纜車時，主編提議要不要休息一下。

「你的腰又痛了嗎？」作家問。

「對，休息一下應該就沒問題了。」

「那我們去上面的餐廳休息，我也想抽支菸。桐島先生，你覺得好嗎？」

「我也想休息一下。」

「我可以再滑一下嗎？」女編輯問，「既然機會難得，那我就去滑A滑道。

桐島太太，妳要不要和我一起去？」她問奈美。

「好啊，那我們兩個人去滑，就讓這幾個大叔好好休息。」奈美瞇起眼睛說。

來到山頂後，目送兩個女人離去，桐島他們走進了餐廳。

坐下來後點完餐點，主編脫下雪鞋，皺著眉頭，摸著自己的腰。

「這麼痛嗎？」作家問。

「不好意思，老毛病了。」

「你這種身體，竟然還可以當主編。」

「兩者沒有關係吧？」

這時，主編的手機響了。他接起電話後，立刻臉色大變。

「啊？妳說什麼？這下慘了。」

「怎麼了？」

「高中打來的電話，說桐島太太不見了，可能誤闖非滑道區域了。」

「奈美嗎？」桐島站了起來，「在哪裡？」

「目前只知道在A滑道中間，高中打算先滑下去，搭纜車上來，再重新滑下去找人。」

「如果誤闖非滑道區就慘了，那裡會有很多樹木，有些地方還有石頭露出地面，搞不好她受了傷。我去看看，如果找不到人，再叫巡邏人員幫忙找人。」作家說完，戴著滑雪鏡走出餐廳。

「我也去看看。」桐島也站了起來。

「但是在A滑道。」

「即使一路跌下去也沒關係，我不能在這裡傻等。」桐島拿起手套。

走出餐廳，他立刻穿上滑雪板。東野已經不見了，他確認之後，進入了A滑道。

桐島用落葉飄的方式慢慢滑下陡坡，尋找妻子的身影。因為是非假日，所以滑雪場內沒什麼人，視野也很開闊。奈美為什麼會在這種情況下誤闖非滑道區域呢？

他看到滑道角落的繩子旁有一個紅色的東西，立刻停了下來，慢慢滑過去撿了起來。那是奈美的帽子。旁邊有人滑過的痕跡，一直通往懸崖下方。

「奈美。」

他不顧一切地鑽過繩子，沿著滑雪板留下的痕跡向斜坡張望，然後右腳在前，在將近四十度的斜坡上滑了起來。

不一會兒，看到前方有一個人影。從滑雪服的顏色，就知道是奈美。那個人倒在雪地中。

「奈美，妳沒事吧？」

他在那個人面前停了下來，拆下滑雪板，在新雪中好像游泳般走過去。

她轉過頭。太好了。她似乎還活著——桐島的安心只持續了一瞬間。那個女人不是奈美，是那個女編輯。

「對不起。」女編輯對一臉茫然的桐島說，「這是騙你的，你太太在下面。」

「呃……妳為什麼要這麼做？」

這時，他聽到身後有動靜。回頭一看，作家從上面滑了下來。

「桐島先生，你的滑雪技術太出色了，」作家說，「你果然是右腳在前的站姿，但為了偽裝成初學者，故意用左腳在前的站姿滑雪。」

桐島這才發現，原來這一切都是圈套。這是為了確認他滑雪的實力所設下的陷阱。

作家說的沒錯，桐島的慣用腳是左腳，所以雖然很多人在單板滑雪時採用左腳在前的站姿，但他滑雪時採用右腳在前的站姿，但他在策劃這次殺人計畫時，覺得有必要偽裝成初學者，所以之前都故意用相反的站姿滑雪，只有在殺了片岡，需要全速滑下A滑道時，才用右腳在前的站姿。一般滑雪板設定為左腳在前的站姿，如果採取右腳在前的站姿時，必須將滑雪板反過來使用，但freestyle的滑雪板基本上前後都可以使用。

「你發現我是採用右腳在前的站姿嗎？」桐島問作家。

「高中發現了這種可能性，她認為原本採用右腳在前站姿的人，為了偽裝成初學者，可能改用左腳在前的站姿。之後在大浴場遇到你時，你左腳先伸進浴池，我當時就覺得有點奇怪。因為大家通常都是先伸出慣用腳，如果你是左腳在前的站姿，應該是右腳先伸進浴池。」

「是喔，」桐島垂下了腦袋，「原來是在浴池……」

「你是在月山練習滑雪嗎？」女編輯問。

「對。」

「我就知道。那裡離新潟很近，七月也可以滑雪。」

「奈美也不知道我會滑雪，原本打算在滑雪場給她一個驚喜，所以一直瞞著她，正因為這樣，所以才想到可以使用這一招。沒想到遇到了你們，看來我氣數已盡。」

「我們並不打算告訴警察，」作家說，「如果這起命案變成了懸案，我打算之後在小說中使用這個詭計。」

「如果你寫成小說，一定要在我們這裡出版。」女編輯立刻說。

桐島笑了笑說：

「我會去自首，詭計的事，只能請你放棄了。」

「太遺憾了。」作家說完，慢慢滑了起來。

國家圖書館出版品預行編目資料

挑戰？/ 東野圭吾作；王蘊潔譯. -- 初版. -- 臺北市：臺灣角川, 2019.11
面； 公分. --（文學放映所；126）

譯自：ちゃれんじ？
ISBN 978-957-743-394-7(平裝)

861.57 108016278

挑戰？

原著名＊ちゃれんじ？

作　　者＊東野圭吾
譯　　者＊王蘊潔

2019 年 11 月 25 日　初版第 1 刷發行

發 行 人＊岩崎剛人
總 經 理＊楊淑媄
資深總監＊許嘉鴻
總 編 輯＊呂慧君
主　　編＊李維莉
美術設計＊邱靖婷、李曼庭
印　　務＊李明修（主任）、張加恩（主任）、張凱棋

台灣角川

發 行 所＊台灣角川股份有限公司
地　　址＊105 台北市光復北路 11 巷 44 號 5 樓
電　　話＊（02）2747-2433
傳　　真＊（02）2747-2558
網　　址＊http://www.kadokawa.com.tw
劃撥帳戶＊台灣角川股份有限公司
劃撥帳號＊ 19487412
法律顧問＊有澤法律事務所
製　　版＊尚騰印刷事業有限公司
I S B N＊978-957-743-394-7